中級から伸ばす
ビジネスケースで学ぶ
日本語

Powering Up Your Japanese through Case Studies:
Intermediate and Advanced Japanese

高見智子 [著]
Tomoko Takami

筒井通雄 [監修]
Michio Tsutsui

「文法」で使われている記号			
N	名詞	nonpast	非過去形
V	動詞	neg.	否定形
Adj(*i*)	イ形容詞	cond	仮定形（仮定表現「〜ば」
Adj(*na*)	ナ形容詞		の「ば」の前に来る形）
S	文	stem	語幹
plain	非丁寧形	V*masu*-stem	動詞の連用形（ます形の
past	過去形		「ます」の前に来る形）

中級から伸ばす
ビジネスケースで学ぶ日本語

2014年 6月20日　初版発行
2024年 6月20日　第11刷発行
著　者：高見智子／監修者：筒井通雄
発行者：伊藤秀樹
発行所：株式会社 ジャパンタイムズ出版
　　　　〒102-0082 東京都千代田区一番町2-2
　　　　一番町第二TGビル2F
ISBN978-4-7890-1567-7

Copyright © 2014 by Tomoko Takami

All rights reserved. No part of this publication may be reproduced, stored in a retrieval system, or transmitted in any form or by any means, electronic, mechanical, photocopying, recording, or otherwise, without the prior written permission of the publisher.

First edition: June 2014
11th printing: June 2024

Chinese/Korean translations and English copyreading: Umes, Corp.
Editorial design and typesetting: DEP, Inc.
Cover art: Hiroki Yamaoka

Published by The Japan Times Publishing, Ltd.
2F Ichibancho Daini TG Bldg., 2-2 Ichibancho, Chiyoda-ku, Tokyo 102-0082, Japan
Website: https://jtpublishing.co.jp/

ISBN978-4-7890-1567-7

Printed in Japan

監修者まえがき

　高見智子さんがペンシルバニア大学でビジネスケースを使って日本語を教え始めたのは2007年からだ。以後、数年にわたって教材の改訂や教え方の改良を続けるうちにその効果について自信を深め、この教材の出版を決意したと聞いた。

　高見さんから本書の監修依頼を打診された時、私は、それまでに彼女がビジネスケースを使ったユニークな教え方で効果を上げていることは聞いていたが、それ以上の知識はなかった。しかし、私自身、上級の専門日本語を長年教えている関係でこの教材には興味があったので、監修を引き受けた。

　もらった草稿を見ると、これはいわゆる「ビジネス日本語」を教えるための教材ではないことが分かったが、その方法論は学習者の日本語運用力を大きく伸ばせるものであると確信し、かえって興味が増した。

　事実、高見さんによると、学生はコースが始まった直後はとても静かでなかなか口を開かないが、勉強の仕方に馴染んでくると、見違えるように積極的に発言するようになるという。これは取りもなおさず、内容が彼らの知的好奇心を刺激し、与えられたビジネスケースの課題について自分で調べ、考えたことをみんなに伝えたいという自然な欲求が、自発的で活発な発話として現れるからに他ならない。つまり、この教材は、日本語を教える以前に、課題について自分で徹底的に考えさせるところに大きなポイントがあり、それを巧みなscaffolding（足場作り）によって発話に導くことで、高い学習効果を上げることができるのである。

　第二言語学習の最近の知見によれば、外国語の運用力を伸ばすには、文法・語彙などを教科書や講義を通して学ぶ「明示学習」だけでなく、学習したことを無意識に使うことで起こる「暗示学習」が必須であるという。これは、いくら知識を詰め込んでも、それだけでは言葉が使えるようにはならないという我々の個人体験からも納得のいく理論であり、本書はこの最新の理論にもよく沿っている。

　この本が多くの日本語プログラムで使われ、学習者と教師がその成果を喜び合えることを願っている。

2014年5月

筒井通雄

はしがき

　本書は、中級・上級レベルの日本語学習者がビジネスのコンテンツを学びながら日本語の総合的な運用力を伸ばすことを目指した日本語教材です。

　本書作成のきっかけは2006年に遡ります。当時私は、担当していたビジネス日本語のコースで、ビジネスコミュニケーションを円滑に行うための練習やビジネスマナーの理解を深めるような学習を中心にしていましたが、それに加えて、学習者が自身の考えを表現し、お互いに学び合えるような学習の場を作りたいと考え始めていました。折しも米国のビジネス外国語教育では、ビジネススクールで行われるケースメソッドを応用し、ビジネスケースを使って外国語を教えるという提案がされ始めた頃でした。私はその研修を受け、特にケースメソッドがディスカッションという協働作業を重視した知的な探求をする学習法であるという点に着目し、ぜひクラスに取り入れてみたいと考えました。それから1ユニットずつ作成してはクラスで実践、改善することを繰り返して、試行錯誤しながら進めてきました。

　教材を作成するにあたって特に工夫したのは、コンテンツのテーマです。学習者に身近で、かつ自分を取り巻く文化・社会、そして他の国の文化・社会まで考えることができる題材をと考え、誰もが知っているグローバルな企業のケースを取り上げています。

　本書を使った学習は学生の主体的な参加が重視されます。それぞれ違う個性や経験、意見を持った学生たちの協働作業を中心にした学びに、一つとして同じものはありません。「1冊の教材」が与える範囲をはるかに超えた、非常にダイナミックな学習となります。本書がそのような学習の一端を担い、中・上級レベルの日本語クラスでお役に立てば幸いです。

2014年5月
高見智子

Acknowledgments

Numerous people and organizations have kindly given their assistance in the development of this teaching material. First of all, I express my deepest gratitude to Dr. Michio Tsutsui, Editor-in-Chief, for his thorough review and valuable suggestions. Not only did he help me improve the quality of the materials, but he also taught me about language instruction; I thought of him as my mentor throughout the project. Ms. Chiaki Sekido of the Japan Times was also a great help in refining the material and in the process of publication. I am thankful to each company that I have chosen to discuss in this material, namely Coca-Cola (Japan), Nintendo, Coach, Walmart, and Toyota, for their understanding of the purpose of this textbook, their input, and/or permission to use their photos.

The development of the pilot material was supported by SAS Language Innovation Grants funded by the University of Pennsylvania in 2006 and 2007, and further expansion was supported by a First Annual Business Language Research and Teaching Grant funded by the CIBER Consortium for Business Language Research and Teaching in 2007. This support made it possible for me to work on the content development with Ms. Tomoe Morishima, then an MBA student in the Wharton Business School. I would also like to express my appreciation to Dr. Takeshi Matsui, Professor at Hitotsubashi University, for generously reviewing the content and giving me advice on teaching that uses business cases. Furthermore, I also thank the teachers at other institutions who tried out the pilot material in their Japanese classes. Their input was very helpful.

I would also like to express my gratitude to the people and organizations at the University of Pennsylvania. I am thankful to PennLauder CIBER and the Center for East Asian Studies for their support on my research and professional development, and to the Japanese Language Program in the Department of East Asian Languages and Civilizations and Penn Language Center for the opportunity to teach this class. I appreciate all the advice, encouragement, and support from my colleagues there. Most of all, I am thankful to the students in my Business Japanese/Japanese for the Professions courses for their input and support; it was my pleasure to see them excitedly learn Japanese through business cases.

Lastly, I would like to send my special thanks and love to my two boys, Tyler and Alex; it is my dream that someday you two will enjoy learning Japanese using this textbook.

Tomoko Takami

もくじ

本書について .... [8]

ユニット1　日本コカ・コーラ　　①

- ステージ1 ▶ 前作業（話し合いましょう） 2
- ステージ2 ▶ 読み物：コカ・コーラの日本でのローカライゼーション 6
  - ■語彙表／■知っておくべきビジネス用語／■内容確認／■文法1～5
- ステージ3 ▶ 練習 13
  - A. 語彙練習／B. 文法練習／C. 表現練習
- ステージ4 ▶ タスク 20
  - 1.ジグソータスク／2.ディスカッション／3.意思決定タスク

ユニット2　任天堂　　㉕

- ステージ1 ▶ 前作業（話し合いましょう） 26
- ステージ2 ▶ 読み物：任天堂のゲーム産業への挑戦 30
  - ■語彙表／■知っておくべきビジネス用語／■内容確認／■文法1～5
- ステージ3 ▶ 練習 38
  - A. 語彙練習／B. 文法練習／C. 表現練習
- ステージ4 ▶ タスク 44
  - 1.ジグソータスク／2.ディスカッション／3.意思決定タスク

ユニット3　コーチ　　㊾

- ステージ1 ▶ 前作業（話し合いましょう） 50
- ステージ2 ▶ 読み物：コーチのアクセシブル・ラグジュアリー・ブランドとしての
  成功と日本進出 54
  - ■語彙表／■知っておくべきビジネス用語／■内容確認／■文法1～5
- ステージ3 ▶ 練習 62
  - A. 語彙練習／B. 文法練習／C. 表現練習
- ステージ4 ▶ タスク 68
  - 1.ジグソータスク／2.ディスカッション／3.問題解決タスク

ユニット4　ウォルマート　　71

- ステージ1 ▶ 前作業（話し合いましょう） ……………………………………… 72
- ステージ2 ▶ 読み物：ウォルマートの基本戦略と日本進出 ……………… 76
  ■語彙表／■知っておくべきビジネス用語／■内容確認／■文法1〜5
- ステージ3 ▶ 練習 ……………………………………………………………………… 84
  A. 語彙練習／B. 文法練習／C. 表現練習
- ステージ4 ▶ タスク …………………………………………………………………… 90
  1. ジグソータスク／2. ディスカッション／3. 問題解決タスク

ユニット5　トヨタ　　93

- ステージ1 ▶ 前作業（話し合いましょう） ……………………………………… 94
- ステージ2 ▶ 読み物：トヨタのモノづくりと人づくり——その理念とグローバル展開 …… 98
  ■語彙表／■知っておくべきビジネス用語／■内容確認／■文法1〜5
- ステージ3 ▶ 練習 ……………………………………………………………………… 106
  A. 語彙練習／B. 文法練習／C. 表現練習
- ステージ4 ▶ タスク …………………………………………………………………… 112
  1. ジグソータスク／2. ディスカッション／3. 問題解決タスク

巻末　　117

- ●ジグソータスク用カード（カードb／カードc／カードd／カードe／カードf） …… 118
- 索引 ……………………………………………………………………………………… 127

別冊

- ＊解答・解答例 ………………………………………………………………………… 1
- ＊本書をお使いになる先生方へ ……………………………………………………… 13

本書について

📖 本書のねらい

　本書は、ビジネスケースメソッドを使った、中・上級学習者のための教材です。実在する企業のビジネスケースを題材とし、内容と言語の総合的な学習＝「内容重視の言語教育」（Content-Based Instruction; CBI）をしながら、中・上級学習者の日本語の力をさらに伸ばすことをめざしています。各ユニットでは、実在する企業の海外進出の事例をもとに、グローバリゼーションやローカライゼーションを考えていきます。

　本書は、いわゆるビジネス日本語（名刺のわたし方、電話のかけ方、会議・交渉の仕方など）を学ぶ教材ではありません。ビジネスの側面から各国の文化事情や社会状況の考察を行い、それに関わる表現活動を通じて日本語の語彙力・文法力をつけるとともに、コミュニケーション力を高めることをねらいとしています。

👥 クラスでの学習

　本書は、クラスで使うことを想定しています。自分の経験やリサーチの結果を話したり、グループ内で意見を出し合って一つの意見にまとめたりするような、一つの正解を持たない活動が数多く含まれています。初めは難しいかもしれませんが、言い間違えたり分からない言葉があったりしても、自分が持っているすべての知識やストラテジーを使って情報や意見を伝えることが重要です。また、相手が分かっているかどうか確認したり、相手の言うことが分からない場合はやさしく言い替えてもらうように頼むなど、「意味の交渉（negotiation of meaning）」を行って、積極的にコミュニケーションしてください。おたがいの意見を共有し議論する活動は、ダイナミックな知的探求活動になることでしょう。

📓 本書の構成

　本書は、以下の5つの企業を、1ユニットごとに取り上げます。新しい商品の開発、自国・他国で成長するためのビジネス戦略、企業活動を支える考え方、などを読み、これを題材に日本語の力を伸ばしていきます。

　　ユニット1：日本コカ・コーラ　／　ユニット2：任天堂　／　ユニット3：コーチ　／
　　ユニット4：ウォルマート　／　ユニット5：トヨタ

各ユニットはそれぞれ独立していますが、言語面・内容面ともに、ユニットが進むにしたがって少しずつ難しくなっていきます。

各ユニットの構成

各ユニットは、4つのステージで構成されています。

▼ステージ1：前作業（話し合いましょう）

そのユニットのテーマと自分の日常生活との関連を考えたり、企業に関する背景情報やデータを知って、「読み物」を読むための準備をします。学習者同士で知っていることや意見を話し合い、新しいトピックへの興味を高めていきます。

▼ステージ2：読み物

ユニットの中心となる「**読み物**」を読み、内容を理解します。読み物の語彙は旧日本語能力試験2級レベルが中心で、それにビジネス用語や経済用語も含まれています。ユニットが進むにつれて、旧1級レベルの語彙も増えていきます。

読み物は、チャレンジできる人はできるだけ何も参照せずに、また必要であればステージ内の「**語彙表**」や「**文法**」を参照しながら、読んでいきましょう。読み物の後の「**内容確認**」の問題は、スキャニングやスキミングの練習になります。

▼ステージ3：練習

ステージ3には、「**語彙練習**」「**文法練習**」「**表現練習**」の3つの練習があります。語彙や文法が適切に使えるよう、まず語彙練習・文法練習をしてから、表現練習を行います。表現練習は、読み物の各段落を要約する問題と、読み物に関する質問に答える問題で、学習した語彙・文法を使って表現する練習をします。読み物をもう一度しっかり読んで内容や表現を確認し、解答する時は何も見ないで自分の言葉で答えましょう。

▼ステージ4：タスク

ステージ4は、コミュニカティブタスクを行います。「**ジグソータスク**」「**ディスカッション**」と、「**意思決定**」や「**問題解決**」をするケース問題があります。そのユニットで学習した語彙や文法だけでなく、自分が持っている日本語の知識や能力をフルに使って話しましょう。

本書について

- ジグソータスク：段落ごとにバラバラになっている文章を、グループ作業で一つにまとめるタスクです。グループで1人1段落ずつ文章を読み、その内容をそれぞれが自分の言葉で説明してから、みんなで話し合って適切な順番に並べるという、「読む・話す・聞く」の総合的な活動です。
- ディスカッション：各ユニットで学んだことや自分の経験をもとに、与えられたテーマに沿って、それぞれの意見を交換します。
- ケース問題：ユニットによって「意思決定タスク」または「問題解決タスク」を行います。ビジネスの課題（どんな新商品を発売するか、売り上げをさらに上げるにはどうすればいいか、など）を追加資料も検討しながら議論をした上で、グループで最もいいと考える結論を出していく活動です。

💼 ビジネスケースについて

　教材を作成するにあたっては、学習者に身近で興味が持ちやすい実際の企業のビジネスケースを通して、知的な探求ができるように工夫しました。企業がグローバル化する際には、国境を越えて共通化、均一化する努力をする一方で、それぞれの国の市場の動向や価値観を考慮し、最適なビジネス戦略を実行していく「ローカライゼーション」も必要です。そのような課題に挑戦し続けるグローバル企業にはそれぞれのストーリーがあり、そのストーリーを通して、学習者が自分を取り巻く文化・社会と同時に、他国の文化・社会を考えるような内容にしました。

　なお、各ユニットで扱うケースは、実在する企業のある時点における話なので、授業の時には状況が変わっている可能性があります。必要に応じてインターネットや新聞などで最新の情報を調べることで、また新しい学習機会が生まれるでしょう。

Unit 1

ユニット1
日本コカ・コーラ

＊本ユニットの執筆には、日本コカ・コーラ (株) の協力をいただきました。

ステージ 1 　前作業 (話し合いましょう)

1 飲み物の生活習慣

(a) あなたはふだん、一日に何を、いつ、どのくらい飲みますか。

(b) どうしてその飲み物を飲むのですか。

(c) どんな人がその飲み物をよく飲みますか。

2 ソフトドリンクのブランドと製品

(a) あなたの国ではコカ・コーラ社はどんな飲み物を売っていますか。その中にあなたがよく飲む飲み物がありますか。

(b) コカ・コーラ社に対してどんなイメージを持っていますか。

(c) コカ・コーラとペプシコーラの味やイメージを比べてみてください。同じだと思いますか。違うと思いますか。そう思う理由も言ってください。

(d) ブラインド・テイスティングをしてみましょう。コカ・コーラとペプシコーラの味を比べてください。どちらがコカ・コーラでどちらがペプシコーラか、分かりますか。どちらが好きですか。

3 コカ・コーラ社製飲料の世界における消費量

下のグラフはコカ・コーラ社製飲料の1人当たりの年間消費量（1人が1年間に平均何本の8オンス［約236cc］のコカ・コーラ社製品を飲んでいるか）を世界の地域別に示したものです。左から、世界平均、それぞれの地域の平均（ユーラシア・アフリカ、ヨーロッパ、北米、太平洋）と日本の平均です。グラフを見て、質問に答えなさい。

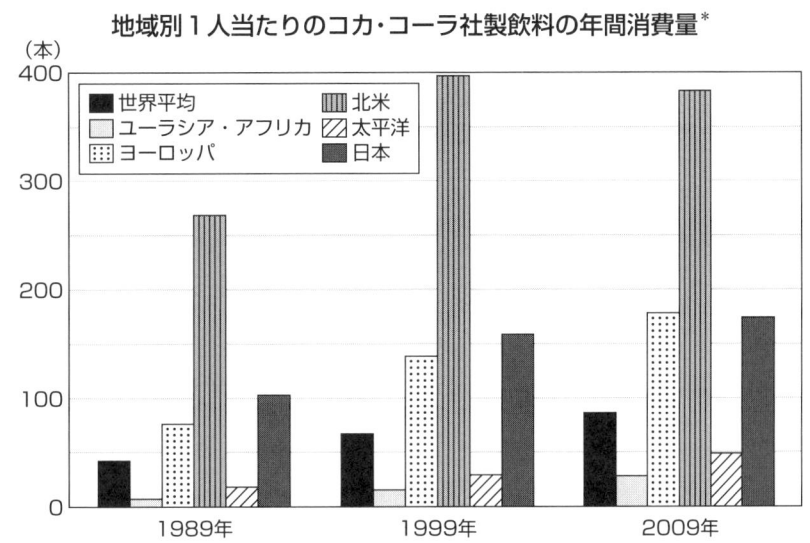

地域別1人当たりのコカ・コーラ社製飲料の年間消費量*

(a) 世界平均より多く消費している地域はどこですか。

(b) この資料からコカ・コーラについてどんなことが分かりますか。

---

* ザ コカ・コーラ カンパニーのアニュアルレポートの資料をもとに作成。
http://www.thecoca-colacompany.com/ourcompany/ar/pdf/2009-operating-group-all.pdf
この資料で各地域の代表的な国として挙げられているのは次の通り。
・ユーラシア・アフリカ………エジプト、インド、ロシア、南アフリカ、ケニア、トルコなど
・ヨーロッパ…………………フランス、イタリア、ドイツ、イギリス、スペイン、オーストリアなど
・北米…………………………アメリカ合衆国、カナダのみ
・太平洋………………………オーストラリア、中国、日本、フィリピン、タイ、韓国など
「世界平均」は世界各地域でコカ・コーラ社が展開している国の消費量の平均を出したもの。

4 日本における清涼飲料水の種類別消費比率

下の円グラフは、日本市場における清涼飲料水の種類別の消費比率を示しています。このグラフについて質問に答えなさい。

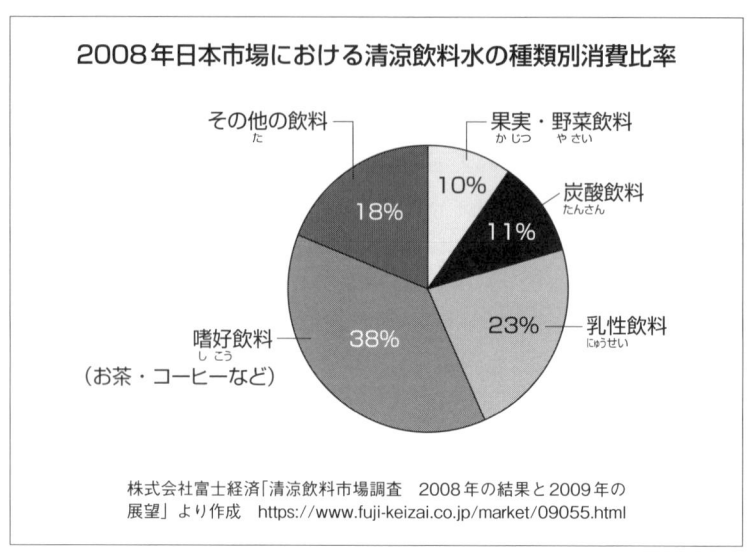

(a) 消費比率が一番高いのは、どんな飲み物で、それは何％ですか。

(b) 消費比率が二番目に高いのは、どんな飲み物で、それは何％ですか。

(c) 炭酸飲料の消費比率は何％ですか。

(d) 「その他の飲料」にはどんな飲み物があると思いますか。

(e) 日本市場の飲み物の消費傾向は、あなたの国と似ていますか、違いますか。

5 コカ・コーラ社の製品と自動販売機

日本で販売されているコカ・コーラ社の製品や自動販売機について、質問に答えなさい。

(a) 日本コカ・コーラのホームページの製品情報を見てください。あなたの国でも販売されている飲み物はありますか。販売されていない飲み物はありますか。
（http://www.cocacola.co.jp/brands/all-products/）

(b) 日本に住んでいる人や日本に行ったことがある人は、飲み物の自動販売機がどんなところにあったか、いつ、どんな人がそこで飲み物を買っていたか、思い出して話してください。

・どんなところに

・いつ、どんな人が

(c) 日本に行ったことがない人は、あなたの国には自動販売機があるか、ある場合は、どんなところにあるか、いつ、どんな人がそこで飲み物を買うか、話してください。

・自動販売機は　（　ある　・　ない　）

・どんなところに

・いつ、どんな人が

(d) 日本とあなたの国にある自動販売機はどう違いますか。

コカ・コーラ社製品の自動販売機
（写真提供：日本コカ・コーラ（株））

ステージ2 読み物

コカ・コーラの日本でのローカライゼーション

1 ① 「コカ・コーラ」はそのブランドが一番大切な企業の財産であるため、米国本社がグローバルにブランドの戦略を管理すると同時に、各地域の消費者ニーズに応じてその国の法人会社で製品開発や販売ができるようになっています。また、コカ・コーラはボトリング会社（ボトラー社）との間で、コカ・コーラシステムという次のような方式を使ってビジネスをしています。

② コカ・コーラを実際に売るためには、まず、コカ・コーラの原液を製造し、それにソーダを入れてコカ・コーラという飲み物を作ります。これを瓶や缶につめ、物流、販売となりますが、米国本社であるザ コカ・コーラ カンパニーはこのうち、原液を作りそれを販売することだけを行っています。原液を買い、コカ・コーラを製造し販売するのは、「ボトラー」と呼ばれるコカ・コーラのビジネスパートナーです。米国のザ コカ・コーラ カンパニーの日本法人である日本コカ・コーラ株式会社は、原液の供給、製品の企画、マーケティング、ブランドの管理などを日本市場において行っています。そして、製造や流通は、ボトラーが行っています。

③ 日本は全世界のコカ・コーラの中でも特にローカライゼーションが進んでいる国です。コカ・コーラは日本で約30のブランドを販売しており、そのうちの約40％はアメリカンブランドやグローバルブランドですが、残りの約60％が日本で開発されたブランドです。中でも特に市場が大きいコーヒーとお茶には、いろいろなブランドがあります。その一つ、コーヒーの「ジョージア」は、日本コカ・コーラ株式会社の製品の中で現在一番売れている飲み物ブランドです。

④ 「ジョージア」のブランド名は、ザ コカ・コーラ カンパニーの本社がある米国ジョージア州から付けられました。「ジョージア」は1975年に「ジョージアコーヒー（現：ジョージアオリジナル）」として販売されたのが最初です。1970年当時、日本ではまだ、コーヒーはいれて飲むのが当たり前と考える人がほとんどでした。しかし、缶入りのコーヒーを販売するメーカーは現れ始めていました。

5 市場での人気の高まりとともに、その重要性に気づいた日本コカ・コーラは、缶コーヒーの開発を行うことにしました。この時、米国本社はコーヒーの販売がコカ・コーラの売り上げを落とすおそれがあるという理由で缶コーヒーの開発に反対で、説得するのが大変だったと言われています。しかし、売り出された「ジョージア」は、缶コーヒーの中では後発品だったにもかかわらず、1975年の発売から２年で１億本の売り上げを達成し、1985年には缶コーヒー売り上げ第１位のブランドになりました。現在、日本の清涼飲料水市場において販売数が一番多い製品ブランドとなっています。

6 「ジョージア」が第１位になった理由はいろいろ考えられますが、一つは製品の種類が多いことです。「ジョージア」には、ブラックやカフェオレなどのタイプごとにさらに様々な味の製品があり、全部で20種類以上あります。これは他のメーカーに比べて圧倒的に多い数字で、より細かく様々な消費者の好みに合うように提供されているのです。また、自動販売機の数が多いこともあげられます。日本コカ・コーラの現在の自動販売機数は約98万台で、これは平均すると各都道府県に約２万台ある計算になり、売り上げを伸ばす大きな助けとなっていると考えられます。

7 このように「ジョージア」は、日本において重要なブランドですが、本社のある米国では販売されていません。つまり「ジョージア」は、日本だけで販売されていて、しかも日本で一番売れている清涼飲料水なのです。このことから、これはグローバル会社であるコカ・コーラの、日本におけるローカライゼーションの一つの成功例と考えられるでしょう。

世界のコカ・コーラ（写真提供：日本コカ・コーラ（株））

語彙表（ごいひょう）

0	ローカライゼーション	localization	本土化	지역화
1	ブランド	brand	品牌	브랜드
	企業（きぎょう）	company	企业	기업
	財産（ざいさん）	asset	财产	재산
	本社（ほんしゃ）	headquarters	本社	본사
	グローバル	global	国际化	글로벌
2	戦略（せんりゃく）	strategy	战略	전략
	管理する（かんり）	to manage	管理	관리하다
	各（かく）	each (pref.)	各	각각
	地域（ちいき）	region	地域	지역
	消費者（しょうひしゃ）	consumer	消费者	소비자
	法人（ほうじん）	corporation	法人	법인
3	製品（せいひん）	manufactured goods	产品	제품
	開発する（かいはつ）	to develop	开发	개발하다
	販売する（はんばい）	to sell	销售	판매하다
4	方式（ほうしき）	system	方式	방식, 시스템
6	実際に（じっさいに）	actually	实际	실제로
	原液（げんえき）	liquid concentrate	原液	원액
	製造する（せいぞう）	to manufacture	制造	제조하다
7	瓶（びん）	bottle	瓶	병
	缶（かん）	can	罐	캔
	つめる	to fill	灌入	담다
	物流（ぶつりゅう）	distribution	物流	물류
11	株式会社（かぶしきがいしゃ）	Co., Ltd.	公司	주식회사
	供給する（きょうきゅう）	to supply	供给	공급하다
	企画する（きかく）	to plan	策划	기획하다
12	市場（しじょう）	market	市场	시장
	流通する（りゅうつう）	to distribute	流通	유통하다
14	全（ぜん）	all (pref.)	全	전, 전부
15	約（やく）	approximately	大约	약
16	残り（のこり）	remainder	其余、剩余	나머지
18	現在（げんざい）	at present	目前	현재
21	州（しゅう）	state (in the U.S.)	州	주
	現（げん）	currently	现在	현
22	当時（とうじ）	then; at that time	当时、在……的时候	당시
23	いれる	to make (coffee, tea, etc.)	现做	타다, 끓이다
	当たり前（あたりまえ）	ordinary	当然	당연하다
24	メーカー	manufacturer	厂家	메이커
	現れる（あらわれる）	to appear; to emerge	出现	나타나다

25	高まり（たかまり）	growth	增强、增大	높아짐
	重要性（じゅうようせい）	importance; significance	重要性	중요성
	気づく（きづく）	to notice	注意	깨닫다
26	売り上げ（うりあげ）	sales	销售额	매출
27	説得する（せっとく）	to persuade; to convince	说服	설득하다
29	後発品（こうはつひん）	product launched later than others	后起产品	후발품
	発売する（はつばい）	to launch (a product)	上市	발매하다
	達成する（たっせい）	to achieve	达到	달성하다
30	第（だい）	No. (number prefix)	第	제
	清涼飲料水（せいりょういんりょうすい）	soft drink	软性饮料	청량 음료수
31	数（すう）	number	数量	수, 숫자
32	種類（しゅるい）	kinds	种类	종류
33	～ごと	every ~	毎	～마다
	さらに	additionally	还……	그 위에
	様々な（さまざまな）	various	各种各样	다양한
34	他（た）	other	其他	다른
	圧倒的に（あっとうてきに）	overwhelmingly	压倒	압도적으로
35	数字（すうじ）	number	数字	숫자
	好み（このみ）	preference; taste	口味儿	취향
	提供する（ていきょう）	to provide	提供	제공하다
36	自動販売機（じどうはんばいき）	vending machine	自动售货机	자동판매기
37	平均する（へいきん）	to average	平均	평균하다
	都道府県（とどうふけん）	prefectures	都道府县（日本的行政区划名称）	일본 행정구역의 단위
	計算する（けいさん）	to calculate	计算	계산하다
	伸ばす（のばす）	to boost	增加	늘리다
38	助け（たすけ）	aid	帮助	도움
42	成功する（せいこう）	to succeed	成功	성공하다
	例（れい）	example	事例	예

 知っておくべきビジネス用語

0	**ローカライゼーション**	製品やサービスを、それぞれの国や地域のニーズや状況に合ったものにすること。
2	**法人**（ほうじん）	法律上、「人」のように、財産を持ったり、契約を結んだりすることができる組織。例えば、株式会社、学校法人、宗教法人などがある。

ステージ2｜読み物

内容確認（ないようかくにん）

1. 読み物の内容と合っているものに○、違っているものに×をつけなさい。

① (　　) コカ・コーラは、米国本社が世界中の地域の製品開発と販売を管理している。

② (　　) コカ・コーラ米国本社は、コカ・コーラの原液をボトラーに販売する。

③ (　　) 日本コカ・コーラは、日本市場のマーケティングやブランド戦略、製造、流通を行う。

④ (　　) 日本コカ・コーラは、お茶やコーヒーなどのオリジナル製品を販売している。

⑤ (　　) 日本コカ・コーラが作った缶コーヒーは、日本で初めて販売されたものだった。

⑥ (　　) 米国本社は、日本コカ・コーラの缶コーヒーの開発・販売に反対しなかった。

⑦ (　　) 「ジョージア」は日本で最もよく売れている缶コーヒーだ。

⑧ (　　) 製品の種類が多いことと自動販売機が多いことが、「ジョージア」が成功する助けになった。

2. 下線部に言葉を入れて、文を完成させなさい。

① コカ・コーラは (a)＿＿＿＿＿＿＿＿がグローバルにブランド戦略を管理しますが、各地域の法人会社も製品の (b)＿＿＿＿＿＿＿や (c)＿＿＿＿＿＿＿ができます。

② コカ・コーラ社はコカ・コーラの原液の (a)＿＿＿＿＿＿＿と (b)＿＿＿＿＿＿＿をします。そして、原液を買ったボトラーが原液にソーダを入れてコカ・コーラを＿＿(a)＿＿し、瓶や缶に (c)＿＿＿＿＿＿＿、物流や＿＿(b)＿＿を行います。

③ 日本コカ・コーラは (a)「＿＿＿＿＿＿＿」という缶コーヒーを開発しました。この時、米国本社はこれに反対で、説得するのが大変だったそうですが、発売から (b)＿＿＿＿年後には、日本の缶コーヒーの中で売り上げが (c)＿＿＿＿＿＿＿＿のブランドとなりました。

④ 「ジョージア」の成功の (a)＿＿＿＿＿＿＿は主に二つあります。一つ目は「ジョージア」には様々な味の製品があることで、全部で20以上の (b)＿＿＿＿＿＿＿があります。これにより、様々な消費者の (c)＿＿＿＿＿＿＿＿＿ように提供されています。二つ目は (d)＿＿＿＿＿＿＿の数が多いことです。平均すると各都道府県に (e)＿＿＿＿＿＿＿ある計算になります。

文法

1 Aと同時にB   B happens at the same time as A happens; while

「コカ・コーラ」はそのブランドが一番大切な企業の財産であるため、米国本社がグローバルにブランドの戦略を管理する**と同時に**、各地域の消費者ニーズに応じてその国の法人会社で製品開発や販売ができるようになっています。（1 1-3）

意味 AとBがほとんど同じ時に起きること、あるいはAとBがどちらも事実であるという意味。

文型 （ⅰ）Nと同時に　　　（ⅱ）Vplain.nonpastと同時に
（ⅲ）Adj(na)stem₁/N₁であると同時に Adj(na)stem₂/N₂でもある

例
a. 大学入学と同時に、一人暮らしを始めた。
b. 小林さんは会社で責任のある仕事をすると同時に、ボランティア活動も積極的に行っているようだ。
c. この目ざまし時計は、アラームが鳴ると同時にライトがつくようになっている。
d. 田中さんはこの会社の社長であると同時に、創設者でもある。
e. このような例は、非常にまれであると同時に重要でもある。

2 ～に応じて／応じた   in response to; according to; depending on

「コカ・コーラ」はそのブランドが一番大切な企業の財産であるため、米国本社がグローバルにブランドの戦略を管理すると同時に、各地域の消費者ニーズ**に応じて**その国の法人会社で製品開発や販売ができるようになっています。（1 1-3）

意味 ～に合わせて、～に反応して、～によって

文型 （ⅰ）Nに応じて　　　（ⅱ）N₁に応じたN₂

例
a. わが社の商品は、お客様の注文に応じて一つ一つ手作りをしている。
b. それぞれの店の売り上げに応じて、本社がボーナスを決めることになっている。
c. 医者は患者の症状に応じた一番よい治療法を考えるものだ。
d. 目的に応じたプログラムの使い方を学べば、効果的に情報処理ができるはずだ。

3 ～において／おける   at; in; during

米国のザ コカ・コーラ カンパニーの日本法人である日本コカ・コーラ株式会社は、原液の供給、製品の企画、マーケティング、ブランドの管理などを日本市場**において**行っています。（2 10-12）

意味 行動やできごとの、場所や時間の中での位置を示す。

ステージ2 | 読み物

文型 （ⅰ）Nにおいて　　　　（ⅱ）N₁におけるN₂

例 a. 山田さんはいつもはとてもおだやかだが、仕事においてはとても厳しいことで有名だ。
b. インターネット取引において知っておかなければならないことがいくつかある。
c. わが社の日本市場における認知度は、少しずつ上がっていると思われる。
d. 職場におけるメンタルヘルスサポートは、まだ始まったばかりだ。

4 ～とともに　　<written> along with; at the same time; as well as

市場での人気の高まりとともに、その重要性に気づいた日本コカ・コーラは、缶コーヒーの開発を行うことにしました。（⑤ 25-26）

意味 ～（の変化）にともなって、～と同時に、～といっしょに

文型 （ⅰ）Vplain.nonpast とともに
（ⅱ）Nであるとともに
（ⅲ）Nとともに

例 a. 年をとるとともに忘れやすくなるので、「脳トレ」（脳のトレーニング）というゲームを毎日することにしている。
b. 彼は一流のコメディアンであるとともに、世界的に有名な映画監督でもある。
c. 新しい社長は、何があっても社員とともに会社を立て直すとコメントした。

5 ～おそれがある　　There is fear of/that ~; There is a possibility of/that ~

この時、米国本社はコーヒーの販売がコカ・コーラの売り上げを落とすおそれがあるという理由で缶コーヒーの開発に反対で、説得するのが大変だったと言われています。（⑤ 26-28）

意味 何かよくないことがあるかもしれない、悪い可能性があるという意味。

文型 （ⅰ）Nのおそれがある
（ⅱ）Vplain/Adj(i)plain おそれがある
（ⅲ）Adj(na)stem ｛な／である／だった／であった｝おそれがある
（ⅳ）（～は）N ｛である／だった／であった｝おそれがある

例 a. 出張予定先でテロのおそれがあるため、来週の出張がキャンセルとなった。
b. インフルエンザの患者がさらに増えるおそれがあるというニュースが流れた。
c. あの店は安いが、品物が悪いおそれがある。
d. 薬を飲むだけでは効果が不十分なおそれがある。
e. 安すぎるブランド品はにせものであるおそれがある。

ステージ 3 練習

A 語彙練習(ごいれんしゅう)

語彙練習1 ①~⑥の言葉の意味をa~fから選びなさい。

① 各　　　　（　）
② 販売　　　（　）
③ つめる　　（　）
④ 約　　　　（　）
⑤ 重要性　　（　）
⑥ 後発品　　（　）

a. 商品を売ること
b. 後から発売されたもの
c. だいたい
d. それぞれ
e. 入れ物にすき間なく入れる
f. 大切さ

語彙練習2 下の言葉の意味を日本語で書きなさい。

① 企業　　　（　　　　　　　　　　　　　　　　　　）
② 当たり前　（　　　　　　　　　　　　　　　　　　）
③ 成功する　（　　　　　　　　　　　　　　　　　　）
④ 説得する　（　　　　　　　　　　　　　　　　　　）

語彙練習3 ☐から言葉を選んで、文を完成させなさい。

> 売り上げ　地域　管理　本社
> 消費者　　当時　種類　残り

① コカ・コーラの＿＿＿＿＿＿はアメリカのジョージア州にあります。

② 日本の＿＿＿＿＿＿はブランド好きが多いと言われています。

③ 今月は＿＿＿＿＿＿が下がってしまった。

④ 最近はいろいろな＿＿＿＿＿＿の携帯電話があります。

⑤ 個人情報を＿＿＿＿＿＿することは企業にとって大切な仕事だ。

⑥ もうおなかがいっぱいで食べられない。＿＿＿＿＿＿は家に持って帰ろう。

⑦ この町のレストランや病院など、＿＿＿＿＿＿の情報が見られるサイトができました。

⑧ 高校を卒業してもう10年がたつが、＿＿＿＿＿＿の友達は今でもいい友達だ。

ステージ3｜練習

B 文法練習(ぶんぽうれんしゅう)

文法練習1　【Aと同時にB】

A. 例のように「〜と同時に」を使って、2つの文を1つにしなさい。

　　例）ソニーはゲームを発売した／インターネットでの配信も始めた
　　　　→　ソニーはゲームを発売すると同時に、インターネットでの配信も始めた。

① 大学卒業／3か月の海外旅行をしました

　　→ ＿＿＿＿＿＿＿＿＿＿＿＿＿＿＿＿＿＿＿＿＿＿＿＿＿＿＿＿＿＿＿＿＿＿＿＿

② 小林さんはフルタイムの仕事をしている／大学院でも勉強している

　　→ ＿＿＿＿＿＿＿＿＿＿＿＿＿＿＿＿＿＿＿＿＿＿＿＿＿＿＿＿＿＿＿＿＿＿＿＿

③ ピッチャーは、ボールをキャッチした／一塁に投げた

　　→ ＿＿＿＿＿＿＿＿＿＿＿＿＿＿＿＿＿＿＿＿＿＿＿＿＿＿＿＿＿＿＿＿＿＿＿＿

④ 彼は私にとって大切な親友です／恋人です

　　→ ＿＿＿＿＿＿＿＿＿＿＿＿＿＿＿＿＿＿＿＿＿＿＿＿＿＿＿＿＿＿＿＿＿＿＿＿

⑤ 私のまじめな性格は、長所です／短所です

　　→ ＿＿＿＿＿＿＿＿＿＿＿＿＿＿＿＿＿＿＿＿＿＿＿＿＿＿＿＿＿＿＿＿＿＿＿＿

B. 下線部に言葉を入れて、「Aと同時にB」の文を作りなさい。

① 家に帰ると同時に＿＿＿＿＿＿＿＿＿＿＿＿＿＿＿＿＿＿＿＿＿＿＿＿＿＿＿＿＿＿。

② 大学入学と同時に＿＿＿＿＿＿＿＿＿＿＿＿＿＿＿＿＿＿＿＿＿＿＿＿＿＿＿＿＿＿。

③ ＿＿＿＿＿＿＿＿＿＿＿＿＿＿＿＿＿＿＿＿＿＿＿＿＿＿＿＿電話が鳴りました。

④ ＿＿＿＿＿＿＿＿＿＿＿＿＿＿＿＿＿＿＿＿＿＿＿＿＿ビジネスマンでもあります。

文法練習2　【〜に応じて】

　　　から適当な表現を選んで、文を完成させなさい。（表現は1回しか使えません。）

```
必要に応じて           社員のキャリアの目標に応じた
地域のニーズに応じた   アクセスの回数に応じて
客の好みに応じて
```

① この店では、＿＿＿＿＿＿＿＿＿＿＿＿＿＿何種類か違うドレッシングを出している。

② 今自分が入っている保険は＿＿＿＿＿＿＿＿＿＿＿＿＿見直したほうがいいのではないでしょうか。

③ わが社では＿＿＿＿＿＿＿＿＿＿＿＿＿＿＿トレーニングをしている。

④ 私たちは＿＿＿＿＿＿＿＿＿＿＿＿＿＿＿バリアフリーの環境作りを考えている。

文法練習3　【〜において】

　　　から適当な表現を選んで、文を完成させなさい。

```
ウェブプログラミングにおいて   通信販売における
小・中学校における             人生において
```

① ＿＿＿＿＿＿＿＿＿＿＿＿＿＿＿＿＿＿＿一番安全な言語は何かという質問には、簡単には答えられない。

② 文部科学省は、＿＿＿＿＿＿＿＿＿＿＿＿＿＿＿インフルエンザ対策を発表した。

③ ＿＿＿＿＿＿＿＿＿＿＿＿＿＿＿大切なことは、後悔しないように頑張ることだと思う。

④ ＿＿＿＿＿＿＿＿＿＿＿＿＿＿＿プライバシー保護のガイドラインが作られた。

ステージ3｜練習

文法練習4 【〜とともに】

A. 例のように「〜とともに」を使って、文を作りなさい。

　　例）経済成長／国民の生活レベルも上がっていった
　　　　→　経済成長とともに、国民の生活レベルも上がっていった。

① 会社が大きくなります／これからもっと他の企業とのコラボレーションが大切になっていくでしょう

　　→ _____

② このプロジェクトを成功させるためには、多くの市民に参加を求める必要がある／企業からの寄付を集める必要もある

　　→ _____

③ この地域はビジネスの中心地です／観光スポットとしても人気のある場所です

　　→ _____

④ 社員／成長する企業をめざすという社長のコメントが新聞にのった

　　→ _____

B. 下線部に言葉を入れて、「〜とともに」の文を作りなさい。

① _____やりたい仕事も増えてきた。

② _____売り上げが下がってきた。

③ 親というものは_____成長するものだ。

文法練習5 【～おそれがある】

A. ☐から適当な表現を選んで、文を完成させなさい。

> 副作用が強いおそれがある　　誤解されるおそれがある
> 発火のおそれがある　　社員の意見が上に伝わらないおそれがある

① _____表現は使わないほうがいいだろう。

② この薬は_____ので、医者に相談したほうがいい。

③ この充電器（battery charger）は_____ので、リコールすることになった。

④ 新しいシステムになると、_____と思う。

B. 「おそれがある」を使って、文を作りなさい。

① リーダーである田中部長がやめたら、このプロジェクトは_____
_____

② _____ので、飛行機はキャンセルとなった。

③ _____というニュースを聞いた。

C 表現練習(ひょうげんれんしゅう)

表現練習1 読み物「コカ・コーラの日本でのローカライゼーション」の各段落（each paragraph）はどのような内容ですか。簡単にまとめなさい。

段落1	（例）「コカ・コーラ」は、米国本社がグローバルにブランドを管理し、各地域の法人会社は地域の消費者ニーズに応じて製品開発や販売をする。また、「コカ・コーラシステム」という方式でボトリング会社とビジネスをしている。
段落2	
段落3	
段落4	
段落5	
段落6	
段落7	

表現練習2 以下の①〜④の質問について、[ ]の言葉を全部使って、読み物を見ないで答えなさい。できるだけ話のまとまりを意識（いしき）して書きなさい。

① コカ・コーラシステムとはどのようなシステムですか。

> 本社　　原液　　ボトリング会社　　製造　　流通　　販売

② 日本では、コカ・コーラ社はどのような製品を販売していますか。

> 約30　　ブランド　　約40%　　約60%

③ 日本コカ・コーラが日本で缶コーヒーを売り始めることについて、米国本社はどのように考えましたか。そして、「ジョージア」の売り上げはどうでしたか。

> 発売2年後　　売り上げ第1位

④ 「ジョージア」が缶コーヒーの売り上げで第1位になった理由は何ですか。

> 製品の種類　　他のメーカー　　消費者　　約98万台

ステージ4 タスク

● タスク1 ジグソータスク

バラバラになった文章を正しく並べて、1つの文章にしなさい。

1. 4人ずつのグループに分かれます。各グループの学生は、b～eの文章を1人1つずつ黙読します。(b～eは巻末p.118～125)
2. 各自、自分が読んだ文章の内容を他のメンバーに説明します(文章をそのまま読まないで、自分の言葉で説明してください)。それからグループで話し合って、下のaの文章に続けてb～eを正しい順番に並べなさい。

順番： (a) → (　　) → (　　) → (　　) → (　　)

---

a. 「Qoo（クー）」は、日本コカ・コーラ社が開発・発売し、成功した製品です。Qooは1999年に、すでに発売されていた果物の味の清涼飲料水Hi-C（ハイシー）のような飲料として発売されました。Qooの開発には面白い話がいくつかあります。まず、Qooという名前は、大人がおいしい飲み物を飲んだ後に言う「クーッ」という言葉をイメージしています。大人のマネをして「クーッ」と言いたい、そんな子供たちの気持ちを表した名前となっています。

Qooのロゴ（写真提供：日本コカ・コーラ(株)）

● タスク2　ディスカッション

ペア、あるいはグループで、下の（1）～（3）について考えてください。まず、自分の国はどうか、次に日本はどうかをあげてください。その後で、自分の国と日本の状況（じょうきょう）の同じ点（てん）、違（ちが）う点を話し合ってください。

(1) どんな飲み物が販売されていますか。どんな飲み物が人気がありますか。
(2) それらは誰（だれ）が、いつ、どんな時に飲みますか。
(3) どうしてその飲み物がよく飲まれているのですか。また、人々はその飲み物についてどのように思っていますか（価値（かち）、イメージなど）。

	●自分の国	○日本
(1)		
(2)		
(3)		

● タスク3 意思決定タスク

あなたは、あなたの国のコカ・コーラ社で、新しく発売する製品を決める仕事をしています。a～cの日本コカ・コーラ社のオリジナル製品をあなたの国でも発売したほうがいいかどうか、話し合ってください。

(写真提供:日本コカ・コーラ(株))

a. 缶コーヒー「ジョージア」　　b. 緑茶「綾鷹」　　c. スープ「ビストローネ セレクト コーンポタージュ」

★ 話し合いのポイント

次の1～3について考えながら、話し合いを進めていきましょう。

1. あなたの国の市場で、a～cと同じ種類の飲み物がそれぞれ販売されていますか。

    (販売されている)　→　どのようなマーケティング戦略で売られていますか。
    (販売されていない)　→　その飲み物はあなたの国の市場で受け入れられるでしょうか。

a	販売されて (いる ・ いない)
b	販売されて (いる ・ いない)
c	販売されて (いる ・ いない)

2. a～cそれぞれと同じ種類の飲み物をあなたの国で発売した場合に、販売に有利な条件と不利な条件を考えて、あげてください。

	有利な条件	不利な条件
a		
b		
c		

3. 2のリストをもとに、どの製品を発売するかを考え、なぜそう決めたか、それぞれの理由をまとめてください。

・製品：

・理由：

Unit 2

ユニット2
任天堂
にんてんどう

＊本ユニットは、任天堂ホームページ、『任天堂"驚き"を生む方程式』（井上理著／日本経済新聞出版社）、Power Play (A): Nintendo in 8-bit Video Games（ハーバードビジネススクール）などを参考に執筆しました。

ステージ 1 前作業 (話し合いましょう)

1 生活の中のデジタルゲーム

(a) あなたはデジタルゲーム(コンピュータ、専用ゲーム機、携帯電話、スマートフォンなどで行うゲーム)が好きですか。それとも興味がありませんか。それはどうしてですか。

(b) よくデジタルゲームをしますか。

　　(はい) → いつ、どこで、どんなゲームをしますか。そのゲームはどんなところが面白いですか。

　　(いいえ) → それはなぜですか。
　　　　　　　以前よくやっていた人は、前にしたことがあるのはどんなゲームですか。

(c) デジタルゲームで遊ぶことには、どんないい点や悪い点がありますか。

2 任天堂の海外事業

下の円グラフは、2012年度の任天堂の世界各地域における販売比率を示しています。

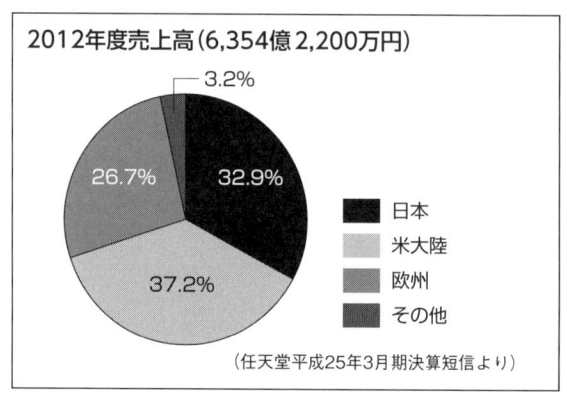

2012年度売上高(6,354億2,200万円)

- 日本 32.9%
- 米大陸 37.2%
- 欧州 26.7%
- その他 3.2%

(任天堂平成25年3月期決算短信より)

(a) グラフを見てどんなことが分かりますか。

(b) 「その他」にはどんな国や地域が含まれていると思いますか。

3 任天堂のブランドと商品

(a) あなたは任天堂のゲーム機を使ったことがありますか。

　　（使ったことがある人）　→　どんなゲームをしましたか。

　　（使ったことがない人）　→　任天堂のゲームについて知っていることはありますか。

(b) 任天堂という会社や任天堂のゲームに対して、どんなイメージを持っていますか。

(c) 任天堂、ソニー、マイクロソフトのゲームを比べてみてください。どんなところが同じ、あるいは違うと思いますか。よく知らない人は、インターネットなどで調べてみてください。

　　（同じ点）　　　　　　　　　　　　（違う点）

4 任天堂の歴史

(a) 次の文章を、辞書を引かないで5分以内で読みなさい(いくつかの言葉は下に説明があります)。そして、右ページの「速読チェック」①〜⑤の文を読んで、正しいものには○、違うものには×を書きなさい。

　　任天堂の歴史は1889年にさかのぼります。初めは京都で花札を全国に販売していました。1902年には日本で初めてトランプを製造、1947年に任天堂の前身となる「丸福」という会社を設立しました。その後、ボードゲームや碁をはじめ、いろいろなおもちゃやゲームを製造・販売する有名なおもちゃメーカーになりました。

　　1983年にはファミリーコンピュータ（ファミコン）の販売を開始し、今日のコンピュータゲーム市場のパイオニアになりました。日本での発売から2年後の1985年には米国でファミコンを売り出し、世界のトップゲームメーカーへと成長しました。2014年現在、世界8か国に現地法人があります。

　　任天堂は常に、多くの消費者が楽しめる商品を作ることに最大の努力を払っています。例えば、ほぼ完成した製品でも、何か改善点が出てくれば、大幅にやり直す指示が出ることもあると言われています。これを、「順調に進んできた物事をもとに戻してしまう」という意味の「ちゃぶ台をひっくり返す」という表現から、「ちゃぶ台返し」などと呼ぶ人も多く、よりよい商品づくりをめざす任天堂の姿勢の一面を表している言葉であると言えるでしょう。

　　会社名が現在の「任天堂」となったのは1963年のことです。この名前の由来にはいくつもの説があり、正確には分かりませんが、一つには「自分たちは全力で最高の商品を販売する、しかし商品の成功は天に任せるという意味が込められている」とも言われています。努力を払っても商品がヒットするとは限らず、大きく成功する時もあれば大きく失敗する時もある厳しい娯楽産業で、チャレンジし続ける任天堂の名前の由来として、思わず納得するような説ではないでしょうか。

花札：花や動物が描かれたカードを使うゲーム、またはそれに使うカード。
ちゃぶ台：和室で使う低いテーブル。
由来：あるもののもとの始まりとするところ。
娯楽：映画、音楽、ゲームなどのような、人を楽しませたり遊ばせたりするもの。

→ **速読チェック──○か×か？**

① (　　) 「任天堂」という名前は、会社が始まった時からずっと同じである。

② (　　) 1983年にファミコンを発売する前から、任天堂は日本でよく知られている会社だった。

③ (　　) 任天堂はファミコンをまずアメリカで販売し、それから日本で販売した。

④ (　　) 任天堂は、ほぼ完成した製品でも、何か改善点が出てくれば、大幅にやり直す指示が出ることもあると言われている。

⑤ (　　) 「任天堂」という名前は、「商品の成功を天に任せる」という意味だという説がある。

(b) 任天堂のホームページを見て、現地法人がある国を調べてください。また、もしあなたが次に現地法人を作るとしたら、どこの国がいいですか。それはどうしてですか。

(c) 任天堂は一時期、娯楽産業はなくても人は生きていけると考え、娯楽産業の弱さを補うものへとビジネスを広げようとしていたようです。もしあなたが任天堂の社長で、今新しくビジネスを娯楽以外の分野に広げるとしたら、どのようなビジネスを始めたいですか。それはどうしてですか。

新発売の「Wii U」を手に喜ぶ人たち
(写真提供：共同通信社)

ステージ 2 読み物

任天堂のゲーム産業への挑戦

1　1983年ごろ、日本には家庭用ゲーム機メーカーが数社ありましたが、ほとんどのゲーム機は5万円～8万円でした。しかし、任天堂は、チップの入ったカートリッジ型のソフトウェアを使った「ファミリーコンピュータ（ファミコン）」を開発、安くて画像や画面の動きに優れたゲーム機を作ることに成功しました。必要となるチップやハードウェアの組み立てを外注することでコストを削減し、その結果、ファミコンを14,800円という当時の家庭用ゲーム機の3分の1以下の価格で市場に出すことができました。

ファミリーコンピュータ
（写真提供：共同通信社）

2　日本でのファミコンの大成功を背景に、任天堂はアメリカ市場でファミコンを販売することにしました。当時アメリカには安い家庭用ビデオゲーム機がなかったので、任天堂のファミコンはアメリカでもパイオニア的な存在になりました。任天堂のアメリカ現地法人Nintendo of America（NOA）は、最初おもちゃ店から否定的な反応を受けた経験から、ファミコンをおもちゃとしてではなく家電として、家電販売店で売ることにしました。そして「店の在庫保管費用をNOAが負担し、店は実際に売れた分だけNOAに払う」という条件でファミコンをおいてくれるように、家電販売店を説得しました。同時に新しいゲーム発売のタイミングに合わせ、売り上げの2%というかなり低い予算で、ターゲットをしぼったマーケティングをしました。まず、ゲームユーザーには「Nintendo Power」という雑誌を販売しました。雑誌には、ゲームについての情報や攻略のヒント、新タイトルの発売情報などが入っていて、1990年当時、600万人ほどの読者がいたと言われています。また、店でゲームが体験できるコーナーを作り、新しい顧客を作るようにしました。こうした努力の結果、ファミコンはやがて、おもちゃ店、総合スーパー、デパートなどでも販売されるようになりました。

3　このような販売戦略と同時に、魅力的なゲームソフトの開発も、アメリカでのファミコン成功の大きな助けになったことは言うまでもありません。任天堂は、「ファミコンが成

功するためには、人気が高いゲームソフトを作ることが重要である」と考え、ソフトの開発にも力を入れていました。そして、1985年に発売した「スーパーマリオブラザーズ」が世界的に大ヒットしたことにより、ファミコン本体はアメリカでの売り上げをさらに伸ばしていきました。「スーパーマリオブラザーズ」は、マリオがジャンプをして、敵や障害物をよけながらゴールに向かっていくアクションゲームです。赤い帽子と青いオーバーオール、大きなひげのマリオが活躍するこのゲームは、その後、様々な機種が開発・販売されていく中でも、常に人気のゲームソフトとして販売され続けています。またアメリカでは、このゲームシリーズのキャラクターに基づいたアニメが放送されたり、ハリウッド映画が作られたりもしています。

4 一般的にゲーム産業は浮き沈みが激しいと言われています。どの商品が消費者に受け入れられ人気が出るかということは、簡単に予測できるものではありません。ゲーム開発にはたいてい、多額の費用がかかります。約1億円かかる場合もあるそうです。そのため、売れれば大きな利益が得られる一方で、失敗すれば大きな痛手となってしまいます。

5 さらに、海外市場で販売実績を上げるためには、現地の文化を考慮に入れながら、ゲームや取り扱い説明書をすべて翻訳したりパッケージを作ったりしなければなりません。また、その国の消費者の好みや市場の動向をリサーチし、どのような商品が売れるかを判断して、マーケティングの戦略を決定するなど、様々な点で質の高いローカライゼーションが求められます。海外に進出し、「Nintendo」として世界的に有名な任天堂も、この厳しいゲーム産業で常に挑戦し続けています。

2005年に再発売された「スーパーマリオブラザーズ」
(写真提供:共同通信社)

語彙表

0	挑戦する（ちょうせん）	to take on a challenge	挑战	도전하다
5	画像（がぞう）	graphics	图像	화상
	画面（がめん）	screen	画面	화면
	動き（うごき）	movement; motion	动画、行动、动作	동작
	優れる（すぐれる）	to excel	优质	우수하다
6	組み立て（くみたて）	assembly	组装	조립
7	外注する（がいちゅう）	to outsource	外部加工	외주하다
	削減する（さくげん）	to reduce	削减	삭감하다
	結果（けっか）	result	结果	결과
	その結果（そのけっか）	as the result	所以、这样做的结果	그 결과
8	価格（かかく）	price	价格	가격
10	背景（はいけい）	background	背景	배경
12	存在（そんざい）	presence; existence	存在	존재
	現地法人（げんちほうじん）	local/overseas subsidiary	现地法人	현지법인
13	否定的（ひていてき）	negative; dismissive	否定的	부정적인
	反応する（はんのう）	to react; to respond	态度、反应	반응하다
14	家電（かでん）	home appliances/electronics	家电	가전제품
15	在庫（ざいこ）	stock; inventory	库存	재고
	保管する（ほかん）	to store	保管	보관하다
	費用（ひよう）	cost; expense	费用	비용
	負担する（ふたん）	to bear; to cover	负担	부담하다
16	条件（じょうけん）	condition	条件	조건
17	合わせる（あわせる）	to be timed; to accommodate	在……时、合起、合并	맞추다
	予算（よさん）	budget	预算	예산
18	しぼる	to narrow down	集中	좁히다
19	情報（じょうほう）	information	情报	정보
	攻略する（こうりゃく）	to attack; to conquer	攻略	공략하다
	ゲームの攻略（ゲームのこうりゃく）	strategy (walk-through) for a game	游戏攻略	게임의 공략
21	体験する（たいけん）	to experience	体验	체험하다
	顧客（こきゃく）	customer; client	顾客	고객
22	努力する（どりょく）	to exert effort	努力	노력하다
	総合（そうごう）	all-round; general	综合	종합
24	魅力的な（みりょくてきな）	attractive	有魅力的	매력적인
26	人気（にんき）	popularity	人气	인기
28	本体（ほんたい）	the body of a machine	主机	본체
29	敵（てき）	rival; adversary	对手	적
	障害物（しょうがいぶつ）	obstacle	障碍物	장애물
31	活躍する（かつやく）	to be a leading figure; to take an active role	活跃	활약하다

	機種（きしゅ）	type of machine	机种	기종
32	常に（つねに）	at any time; consistently	始终	항상
35	一般的に（いっぱんてきに）	generally	一般	일반적으로
	浮き沈み（うきしずみ）	ups and downs	浮沉	부침
	激しい（はげしい）	severe; intense	激烈	심하다
	商品（しょうひん）	merchandise; goods	商品	상품
	受け入れる（うけいれる）	to accept	接受	받아들이다
36	予測する（よそく）	to predict; to foresee	预测	예측하다
37	多額（たがく）	large sum	多额	거액
38	利益（りえき）	profit	利益、利润	이익
	得る（える）	to obtain; to gain	获得	얻다
	痛手（いたで）	severe wound; hard hit	打击	타격
39	実績（じっせき）	performance; track record	实绩	실적
	現地（げんち）	locale; area where something is occurring	当地	현지
	考慮する（こうりょ）	to consider	考虑	고려하다
40	取り扱い（とりあつかい）	handling	操作	취급
41	動向（どうこう）	trend; tendency	动向	동향
	判断する（はんだん）	to judge; to estimate	判断	판단하다
42	決定する（けってい）	to decide	决定	결정하다
	質（しつ）	quality	质量	질
43	求める（もとめる）	to ask for; to demand	要求	요구하다
	進出する（しんしゅつ）	to advance into	向……发展	진출하다

知っておくべきビジネス用語

12	現地法人（げんちほうじん）	企業が海外進出する際、その国の法律に基づいて作る法人。法人とは、個人と同様に、法律上の権利・義務をもつ組織のこと。
14	家電販売店（かでんはんばいてん）	テレビ、洗濯機、オーディオ、パソコンなど、家庭で一般に使ういろいろな電化製品を売る店。
22	総合スーパー（そうごう）	小売店の中で、特に日常生活に必要な物を総合的に取り扱っている店のこと。食料品だけでなく、衣料や家電、家具なども売っている。

ステージ2｜読み物

内容確認

1. 読み物の内容と合っているものに〇、違っているものに×をつけなさい。

① (　　) 任天堂は、日本でも米国でも安い家庭用ビデオゲーム機のパイオニアだと言える。

② (　　) 任天堂は米国で、多くのお金をマーケティングに使った。

③ (　　) 任天堂のファミコンは米国でも成功し、1990年にはおもちゃ店、総合スーパー、デパートなど、いろいろな店で売られるようになった。

④ (　　) 任天堂のファミコンの成功は、ゲームソフトの人気とは関係がない。

⑤ (　　) 「スーパーマリオブラザーズ」は世界的にヒットしたゲームソフトである。

⑥ (　　) ゲーム産業は浮き沈みが激しい、厳しい産業だと言われている。

⑦ (　　) ゲームの面白さは世界共通なので、海外進出の際にローカライゼーションは必要ない。

2. 下線部に言葉を入れて、文を完成させなさい。

①任天堂は1980年代にファミコンを開発し、他の家庭用ゲーム機の_____の値段で発売しました。

②任天堂がアメリカ市場でファミコンを売り始める時にとった戦略がいくつかあります。まず、ファミコンを(a)_____としてではなく(b)_____として売り始めました。また、ゲームの情報が入った(c)_____を販売しました。そして、店で(d)_____ができるようにしました。

③アメリカでのファミコンの成功は、販売戦略だけではなく、魅力的な(a)_____も大きな助けとなりました。1985年に(b)「_____」が世界的に大ヒットすると、ファミコンはアメリカでの売り上げをさらに伸ばし、ゲームのキャラクターをもとにして、(c)_____や(d)_____が作られたりもしました。

④(a)_____は、厳しい産業です。どの商品が人気が出るか簡単に(b)_____できません。ゲーム開発には(c)_____がかかることもあるそうです。売れれば大きな(d)_____が得られる一方で、失敗すれば大きな(e)_____となります。

⑤海外市場で(a)_____を上げるには、現地の文化に合わせてゲームや説明書を(b)_____したり、パッケージを作ったりします。また、その国の消費者の(c)_____や市場の(d)_____をリサーチし、戦略を決定するなど、質の高い(e)_____が求められます。

文法

1 〜ように（説得する／言う／etc.） to convince/tell/etc. (someone) to do ~

> そして「店の在庫保管費用をNOAが負担し、店は実際に売れた分だけNOAに払う」という条件でファミコンをおいてくれる**ように**、家電販売店を**説得しました**。（2 14-16）

意味 誰かの命令、依頼、助言、説得の内容を表す表現。「〜ように」は「説得する」のほかに、「言う」「頼む」「お願いする」「注意する」「助言する」などともよく使われる。

文型

Vplain.nonpast	+ ように	説得する／言う (to convince someone to do ~)
Vplain.nonpast.neg.		頼む／お願いする (to ask someone to do ~)
		注意する (to warn someone to do ~)
		助言する (to advise someone to do ~)

例
a. 父はいやがっているが、病院に行く<u>ように</u>説得するつもりだ。
b. 田中さんに企画書を書き直す<u>ように</u>頼もうと思う。
c. 私は田中さんに、もう少し早く仕事する<u>ように</u>注意した。

2 言うまでもない \<written/formal\> It goes without saying that; Needless to say

> このような販売戦略と同時に、魅力的なゲームソフトの開発も、アメリカでのファミコン成功の大きな助けになったことは**言うまでもありません**。（3 24-25）

意味 言わなくても分かるくらい当然だ

文型
(i) Vplain／Adj(i)plain ＋ の／こと　は言うまでもない
(ii) Adj(na)stem ｛な／である／だった／であった｝の／こと　は言うまでもない
(iii) N ｛な／だった／である／であった｝の　は言うまでもない
(iv) N ｛である／であった｝こと　は言うまでもない

例
a. わが社がお客様の信頼回復に向けて努力するのは<u>言うまでもありません</u>。
b. 毎日きちんと食事をすることが健康に大切なのは<u>言うまでもない</u>。
c. 彼は長期の休職を認められたが、これが例外なのは<u>言うまでもない</u>。
d. 30年以上も人気歌手である彼女が、人々の永遠のアイドルであるのは<u>言うまでもない</u>。

発展 ｛言うまでもなく／言うまでもないが｝、S。
例：<u>言うまでもないが</u>、いい大学を出たからといって社会で成功するとは限らない。

ユニット●2
任天堂

ステージ2｜読み物

3 ～ことにより／よる　　<written/formal> be due to the fact that; be caused by; because

> そして、1985年に発売した「スーパーマリオブラザーズ」が世界的に大ヒットした**ことにより**、ファミコン本体はアメリカでの売り上げをさらに伸ばしていきました。（3 27-29）

意味　～ことが原因／理由で

文型　Splain ＋ ことにより／よる　　（例外）Adj(na)stem：～なことにより／よる
　　　　　　　　　　　　　　　　　　　　　　　　N：～であることにより／よる

例
a. 首相の発言の一部が不適切だった<u>ことにより</u>両国の関係が悪化するのではないかと心配する声が上がった。
b. この提携が失敗したのは、両社が期待していたことが違っていた<u>ことによる</u>。
c. 森さんが選ばれたのは、実力というより推薦者が有力な教授であった<u>ことによる</u>と思う。

4 ～に基づいて／基づいた　　based on ～

> またアメリカでは、このゲームシリーズのキャラクター**に基づいた**アニメが放送されたり、ハリウッド映画が作られたりもしています。（3 32-34）

意味　～が土台／基礎／根拠になっている

文型　（ⅰ）Nに基づいて　　　　　（ⅱ）N₁に基づいたN₂

例
a. 政府は、この問題は日米両国の同意<u>に基づいて</u>進めていくと発表した。
b. 本社の基本方針<u>に基づいて</u>マーケティング戦略を考えるつもりだ。
c. この映画は実話<u>に基づいた</u>ストーリーだと宣伝していた。
d. 科学的な理論<u>に基づいた</u>犬のしつけ方を紹介します。

5 一方（で）　　<written/formal> while; but at the same time; on the other hand

> そのため、売れれば大きな利益が得られる**一方で**、失敗すれば大きな痛手となってしまいます。（4 37-38）

意味　2つのことが同時に起きていることを対比して表す。

文型
（ⅰ）Vplain／Adj(i)plain　一方（で）
（ⅱ）Adj(na)stem ｛な／である／だった／であった｝一方（で）
（ⅲ）N ｛である／だった／であった｝一方（で）
（ⅳ）S₁が、（その）一方（で）S₂。
（ⅴ）S₁。（その）一方（で）、S₂。

例　a. 新社長の就任を祝う声がある一方で、会社の将来を心配する声もある。

b. 携帯電話でいつでもどこでも話せるのは便利な一方、使う場所を考えないと周りの人に迷惑をかけてしまう。

c. 日本は多くの工業製品を輸出しているが、その一方で、農作物の多くを外国から輸入している。

ユニット●2

任天堂

ステージ 3 練習

A 語彙練習

語彙練習1 ①〜④の言葉の意味をa〜dから選びなさい。

① 家電　　　　（　　）
② 費用　　　　（　　）
③ 体験する　　（　　）
④ 考慮する　　（　　）

a. 物事を様々な点からよく考える
b. 自分で実際に経験する
c. あることをするのに必要なお金
d. 家庭で使われる電気製品

語彙練習2 下の言葉の意味を日本語で書きなさい。

① 外注　　　（　　　　　　　　　　　　　　　　　　　　　　　）
② 削減　　　（　　　　　　　　　　　　　　　　　　　　　　　）
③ 予算　　　（　　　　　　　　　　　　　　　　　　　　　　　）
④ 努力　　　（　　　　　　　　　　　　　　　　　　　　　　　）
⑤ 常に　　　（　　　　　　　　　　　　　　　　　　　　　　　）
⑥ 決定する　（　　　　　　　　　　　　　　　　　　　　　　　）

語彙練習3 ☐から言葉を選んで、文を完成させなさい。

| 在庫　結果　反応　存在　情報　利益 |

① 先輩の佐藤さんは、私にとって兄のような＿＿＿＿＿＿＿だ。

② インターネットによって、手に入る＿＿＿＿＿＿＿はかなり増えた。

③ 新しいコンセプトで発売した新商品への＿＿＿＿＿＿＿はまずまずだった。

④ わが社の＿＿＿＿＿＿＿を上げるには、コスト削減をしなければならないだろう。

⑤ 頑張って日本語を勉強してきた＿＿＿＿＿＿＿、彼は日本企業に就職できたそうだ。

⑥ 小売店にとって＿＿＿＿＿＿＿の管理は難しい問題だ。多すぎると売れ残って保管にコストがかかり、不足すると販売の機会を失う。

B 文法練習

文法練習1 【～ように（説得する／言う／etc.）】

A. あなたは会社のプロジェクトマネージャーです。最近インターンシップに来た学生には①〜④のような問題があります。どうしますか。例のように「〜ように言う」または「〜ように注意する」を使って文を作りなさい。

例）毎日会社にジーンズをはいてくる。
　　→　毎日スーツを着てくるように注意します。

① 会社に九時までに来ない。

　　→ _____

② 自分が持ってきたミニスピーカーで音楽を聞きながら仕事をする。

　　→ _____

③ 会社のコンピュータで、ときどき仕事とは関係ないウェブサイトを見ているようだ。

　　→ _____

④ 昨日の会議中、何度も携帯電話が鳴った。

　　→ _____

B. 「〜ように（頼む／お願いする／注意する／説得する、など）」を使って、自分の経験を話しなさい。

文法練習2 【言うまでもない】

「言うまでもない」を使った文を完成させなさい。②は自分の文を作りなさい。

① _____のは言うまでもありません。

② _____

ステージ3｜練習

文法練習3 【～ことにより／よる】

□ から適当な表現を選び、「～ことにより／よる」を使って文を完成させなさい。⑤は自分で文を完成させなさい。

```
海外に進出しました      CO₂の排出量が増えました
テレビを見ません        友達に話したり日記に書いたりしました
```

① _____、地球温暖化が進んでいる。

② 心配していることを_____、
ストレスが解消した。

③ _____、会社の経営がさらに苦しくなった。

④ _____節電の効果は多少あるようです。

⑤ IT技術が進んだことにより、_____

文法練習4 【～に基づいて／基づいた】

A. □ から適当な表現を選んで、文を完成させなさい。

```
お客様の声に基づいて      綿密な調査に基づいた
東洋医学に基づいた        ベストセラーの小説に基づいて
```

① _____販売戦略はきっと成功するだろう。

② _____サービスを改善した例をいくつかあげてみよう。

③ 最近、_____健康法がブームである。

④ この映画は_____作られています。

B. 「～に基づいて」を使って、文を完成させなさい。③は自分の文を作りなさい。

① _____プレゼンテーションの内容を決めましょう。

② _____海外出張をする人が選ばれました。

③ _____

文法練習5【～一方（で）】

例のように「～一方（で）」を使って、2つの文を1つにしなさい。④は自分の文を作りなさい。

例）プログラムの開発は順調です／音楽の使用の交渉は難航しています
　　→　プログラムの開発は順調である一方、音楽の使用の交渉は難航しています。

① 多くの人がこのスマートフォンに非常に満足しています／これを独占供給している携帯電話会社には満足していないようです

　　→ _____

② 彼女は、お金がなくて生活が大変だと言います／無駄なお金をたくさん使っています

　　→ _____

③ サラリーマンの平均年収がここ10年で減りました／年収が2,000万円以上の人の数は増えました

　　→ _____

④ _____

ステージ3 | 練習

C 表現練習

表現練習1 読み物「任天堂(にんてんどう)のゲーム産業への挑戦(ちょうせん)」の各段落はどのような内容ですか。簡単にまとめなさい。

段落1	
段落2	
段落3	
段落4	
段落5	

表現練習2 以下の①〜④の質問について、[____]の言葉を全部使って、読み物を見ないで答えなさい。できるだけ話のまとまりを意識して書きなさい。

① 任天堂のファミコンは、どうして日本で成功したのですか。

> チップ　　外注　　コスト削減　　3分の1以下の価格

② ファミコンのアメリカでのマーケティング戦略には、どのような特徴がありますか。

> 在庫保管費用　　家電販売店　　ターゲット　　雑誌　　体験

③ 任天堂はゲームソフトの開発についてどのように考えていますか。

> 人気が高い　　スーパーマリオブラザーズ　　売り上げを伸ばす

④ 任天堂はゲームソフトを海外市場で販売する際、どのようなことをしていますか。

> 現地の文化　　翻訳する　　パッケージ　　好み　　動向　　マーケティング

ステージ 4 タスク

●タスク1 ジグソータスク

タスクの前に 以下の言葉を2つのグループに分けなさい。

拡大	縮小	減る	増える	減少	増加
かくだい	しゅくしょう	へ	ふ	げんしょう	ぞうか

A．大きくなる意味のもの → （　　　　　　　　　　　　　　　　　　）

B．小さくなる意味のもの → （　　　　　　　　　　　　　　　　　　）

タスク バラバラになった文章を正しく並べて、1つの文章にしなさい。

1. 4人ずつのグループに分かれます。各グループの学生は、b〜eの文章を1人1つずつ黙読します。（b〜eは巻末p.118〜125）
2. 各自、自分が読んだ文章の内容を他のメンバーに説明します（文章をそのまま読まないで、自分の言葉で説明してください）。それからグループで話し合って、下のaの文章に続けてb〜eを正しい順番に並べなさい。

順番：（ a ）→（　　）→（　　）→（　　）→（　　）

---

a. 1990年代に入り、他社の参入によって、ゲーム業界は激しい競争になりました。画像が2次元から3次元になるなど、技術もより高度なものとなり、ソフトの開発も以前に比べて、格段に高い技術、長い期間、多くの資金が必要とされるようになりました。

●タスク2 ディスカッション

ペア、あるいはグループで、下の（1）〜（3）について考えてください。まず、自分の国はどうか、次に日本はどうかをあげてください。その後で、自分の国と日本の状況の同じ点、違う点を話し合ってください。

(1) デジタルゲームは人気がありますか。どんなゲームが人気がありますか。
(2) どんな人がゲームをすると思いますか。ゲームをしない人はどんな人だと思いますか。
(3) 人々はゲームについてどのように思っていますか（価値、イメージなど）。

	●自分の国	○日本
(1)		
(2)		
(3)		

ステージ 4 | タスク

●タスク3　意思決定タスク

あなたは、あなたの国にある任天堂DS用のソフト製作会社で、新しく発売するソフト商品を決める仕事をしています。日本で発売されているaとbのソフトと、cとして任天堂のホームページにのっているDS用ソフトから好きな商品を1つ選び、あなたの国でどれを発売すればいいか、話し合ってください。

a. 「タイツくん　上司が怒りにくいさわやかマナー」
　　ビジネスマナー学習ソフト。これから社会人になる学生や若いビジネスマン、OL向け。「もぐらたたき」ではなく「上司たたき」などのゲームもあり、楽しくビジネスマナーを学ぶことができる。

© Sui Sui, Ltd./ ©SUCCESS

b. 「アンパンマンとタッチでわくわくトレーニング」
　　2歳から4歳くらいの子供への知育トレーニングソフト。アニメを見ながらお話を聞いたり、数、大きさ、リズムなどをゲームをしながら楽しく学べる。

© やなせたかし／フレーベル館・TMS・NTV
©BANDAI NAMCO Games Inc.

c. (任天堂のホームページにあるDS用ソフトから1つ選ぶ)

　　ソフト名：_____

★話し合いのポイント

1. あなたの国の市場で、a～cと同じ種類のソフトがそれぞれ販売されていますか。
　　（販売されている）　→　そのソフトはどのようなマーケティング戦略で売られていますか。
　　（販売されていない）　→　販売された場合、そのソフトはあなたの国の市場で受け入れられるでしょうか。

a	販売されて（ いる ・ いない ）
b	販売されて（ いる ・ いない ）
c	販売されて（ いる ・ いない ）

2. そのソフトをあなたの国で発売する場合に、有利な条件と不利な条件をあげてください。

	有利な条件	不利な条件
a		
b		
c		

3. 2の結果をもとに考えて、発売するものを1つ選んでください。そして、どのようにローカライゼーションをすればいいか考えてください。

Unit 3

ユニット3
コーチ

*本ユニットの執筆には、米国コーチ・インクおよびコーチ・ジャパンの協力をいただきました。

ステージ 1 前作業（話し合いましょう）

1 生活の中の高級ブランド品

(a) あなたは高級ブランド品に対して、どんなイメージを持っていますか。

(b) あなたは高級ブランド品を持っていますか。
　　（はい）　→　なぜ持っているのですか。
　　（いいえ）→　なぜ持っていないのですか。

(c) あなたは高級ブランド品がほしいと思いますか。
　　（はい）　→　何がほしいですか。なぜほしいのですか。
　　（いいえ）→　なぜほしくないのですか。

(d) あなたの周り（例えば、家族、親戚、クラスメート）に高級ブランド品を持っている人はいますか。
　　（はい）　→　誰が、どんな商品を持っていますか。なぜ持っているのだと思いますか。
　　（いいえ）→　なぜ高級ブランドを持っている人が周りにいないのだと思いますか。

2 コーチのブランドと商品

(a) あなたはコーチを知っていますか。

　　（はい）　→　コーチのブランドや商品について、どんなイメージを持っていますか。

　　（いいえ）→　よく知らない人は、インターネットでコーチのホームページを調べてみてください。コーチのブランドや商品について、どんなイメージを持ちましたか。

(b) インターネットでコーチのホームページを調べてください。コーチの主力商品であるバッグにはどんな特徴がありますか。

　・材料
　　さいりょう

　・デザイン

　・値段
　　ねだん

　・その他

(c) コーチと他のブランドを一つ選び、比べてみてください。同じ点、違う点をあげてください。

3 コーチの歴史

次の文章を、辞書を引かないで5分以内で読みなさい。そして、次のページの「速読チェック」①～④を読んで、正しいものには○、違うものには×を書きなさい。

　コーチは1941年に家族経営の工房としてニューヨークのマンハッタンで誕生しました。工房では、6人の職人が革製品を手仕事で仕上げていました。1962年、コーチは、野球のグローブからヒントを得た上質の革（グラブタンレザー）を使った初めてのコレクションを発表しました。同じ年に有名デザイナー、ボニー・カシンを採用し、バッグを中心としたファッション分野へ進出。カシンがデザインした「カシン・キャリー」、それに続くショッピングバッグコレクションや「ダッフルサック」は、コーチの売り上げ拡大に貢献しました。

　さらに1979年には、現エグゼクティブ・チェアマンのルー・フランクフォートが入社。当時コーチは年間600万ドルほどの売り上げでしたが、フランクフォートがカタログ販売や直営店の出店といったマルチチャネル販売戦略を展開して成功させた結果、コーチは米国屈指のアクセサリー・ブランドへと進化しました。1985年、年間売り上げ1,900万ドルにまで成長していたコーチはサラ・リー・コーポレーションの傘下に入り、90年代半ばにかけて毎年32％という速さで成長を続けました。

　1990年代後期、消費者のカジュアル志向が進んで、ファッションのトレンドが変化しました。コーチでは、リード・クラッコフが1996年にエグゼクティブ・クリエイティブ・ディレクターになり、革を新しい素材と組み合わせたり、パステルカラーや原色を使ったりして、それまでのクラシックなデザインをファッション性を重視した全く新しいものに変えました。また、コーチの商品、広告、店舗デザインなどにおいてブランドイメージが強化され、全世界でのコーチ商品の売り上げ増につながりました。そして2001年には「C」のロゴを使ったモノグラム入りの「シグネチャー・コレクション」がスタートし、大成功をおさめました。

工房：物を作る人が使う仕事場、アトリエ
革：レザー
貢献する：役に立つように頑張る
展開する：広げる、次の段階に進める
成長する：人や物が育つ、物事が大きくなる
重視する：重要であると考える

デビュー当時のシグネチャー・コレクション
（写真提供：コーチ）

→ 速読チェック──○か×か？

①(　　) コーチは1941年に始まり、工場で大量に革製品を作っていた。

②(　　) フランクフォートが行った販売戦略は、コーチを大きく進化させた。

③(　　) 1985年、コーチはサラ・リー・コーポレーションを買った。

④(　　) コーチは、1990年代以降、新しいデザインの商品を開発して、ファッション性を高め、ブランドイメージを強化した。

4 コーチ商品の世界での売り上げ

コーチの地域別売上比率推移

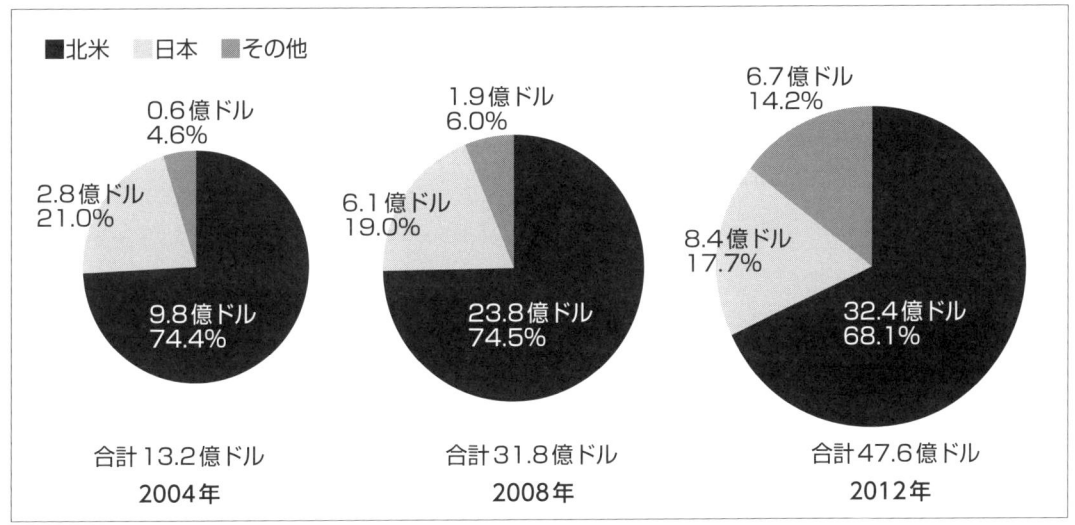

■北米　■日本　■その他

2004年 合計13.2億ドル
- 北米：9.8億ドル　74.4%
- 日本：2.8億ドル　21.0%
- その他：0.6億ドル　4.6%

2008年 合計31.8億ドル
- 北米：23.8億ドル　74.5%
- 日本：6.1億ドル　19.0%
- その他：1.9億ドル　6.0%

2012年 合計47.6億ドル
- 北米：32.4億ドル　68.1%
- 日本：8.4億ドル　17.7%
- その他：6.7億ドル　14.2%

www.coach.com「Financial Reports」より作成

(a) このグラフから、コーチについてどんなことが分かりますか。

(b) 「その他」にはどんな地域が含まれていると思いますか。

ステージ 2 読み物

コーチのアクセシブル・ラグジュアリー・ブランドとしての成功と日本進出

1 ① 2000年代の世界市場で成長し続けているコーチの成功の最大の要因は、アクセシブル・ラグジュアリーと言われる新しい市場の開拓と、その分野での世界進出であると言えるでしょう。従来の高級ブランドビジネスは「高級感」と「希少性」が重要だと考えられていました。つまり、高価格の商品を買うことで、購入した人がステータスを得られるようにすること、また供給を抑えて上流層の顧客に対象をしぼって販売することが、高級ブランドの戦略だったのです。

② これに対してコーチは、品質がよくファッション性の高い高級品を「手の届く」価格で販売しました。コーチの中心価格は、従来の高級ブランドに比べると、比較的身近に感じる価格帯です。これは消費者に「信頼のおける品質の高級なバッグを買いながらも、同時に生活の他の部分にもお金を使える」という機会を提供したことにほかなりません。また、デザインから生産、流通に至るまでの優れたサプライチェーンを駆使して、新しいデザインを毎月発表、発売してきました。新しい商品を次々と発売して飽きさせないことによって、定番商品が主であるブランドバッグに対して女性が持つ意識を、「一生もの」からそれぞれのスタイルや場合に応じて使い分ける「ファッションアイテム」へと変化させたのです。こうして、価格を抑えつつ購買意欲を刺激することで購入する回数を増やし、全体の売り上げを伸ばしたと考えられます。

(写真提供：コーチ)

③ 最近ではバッグ、革小物、サングラスなどのアクセサリーだけでなく、靴や洋服なども販売し、ライフスタイルブランドへと変化しています。2013年には新たなエグゼクティブ・クリエイティブ・ディレクター、スチュアート・ヴィヴァースを採用し、コーチの70年の歴史を大切にしながら、ファッション性をさらに高めた商品を開発して、「頭からつま先まで」のコレクションを展開しています。

④ コーチが初めて日本に進出したのは1988年です。大手デパートの三越と独占販売契約を結び、同年9月に三越の横浜店、続いて日本橋本店にコーチの店舗を出店しました。その後、2001年8月に、住友商事と合弁でコーチ・ジャパンを設立すると、新会社は三越から店舗を引きつぎ、さらに店舗数を拡大しました。2002年には79店舗を展開し、日本初の旗艦店であるコーチ銀座をオープン。その後も続々と店舗を増やし、2014年には約200店舗となりました。

⑤ その結果、日本はコーチにとって、アメリカに次ぐ第二の市場となっています。2005年度の世界全地域におけるコーチの売り上げは約16.5億ドルですが、その約25％にあたる396億円を日本で稼いでいます。これはコーチ・ジャパンのスタート時の売り上げ（約100億円）を、約4年で4倍にも伸ばしたことになります。また、日本国内の輸入ハンドバッグ・アクセサリー市場で、コーチは市場シェア第2位のブランドとなっています（出典：矢野経済研究所2012年度調査）。

⑥ コーチは販売拠点を拡大して、中国をはじめ、南アジア、ヨーロッパなどへも進出し、売り上げを伸ばしています。2000年から2012年にかけて、コーチは売上高では年間20％以上、収益では年間30％以上の成長をしています。その結果、コーチの市場シェアは全米で30％、世界市場で15％にまで拡大しました。

2013年に開店したコーチ表参道（写真提供：コーチ）

語彙表

1	成長する（せいちょう）	to grow; to develop	成长	성장하다
	最大（さいだい）	maximum; biggest	最大	최대
	要因（よういん）	cause; contributing factor	要因、原因	요인
2	開拓する（かいたく）	to explore; to open up (a new field)	开拓	개척하다
	分野（ぶんや）	field	领域	분야
3	従来の（じゅうらいの）	in the past; traditional	从来、以前、直到现在	종래의
	高級感（こうきゅうかん）	sense of high class	高级感	고급감
	希少性（きしょうせい）	scarcity; rarity	稀少的特性、稀有性	희소성
4	購入する（こうにゅう）	to purchase	购买	구입하다
5	抑える（おさえる）	to suppress; to hold down	控制、抑制	억제하다
	上流（じょうりゅう）	upper class	上流、上层	상류
	層（そう）	class, rank	阶层	층
	対象（たいしょう）	target	对象	대상
7	品質（ひんしつ）	quality	质量	품질
	届く（とどく）	to reach; to be affordable	达到、够得着	닿다 (手の届く価格：살 수 있는 가격)
8	比較的（ひかくてき）	comparatively	比较	비교적
	身近（みぢか）	familiar	亲近	가깝다, 친근하다
	感じる（かんじる）	to feel	感觉	느끼다
9	価格帯（かかくたい）	price range	价格带	가격대
	信頼する（しんらい）	to trust	信赖	신뢰
10	部分（ぶぶん）	part	部分、方面	부분
11	至る（いたる）	to reach	到……	이르다
	サプライチェーン	supply chain	供应链	서플라이 체인
	駆使する（くし）	to make full use of	驱使、运用	구사하다
12	発表する（はっぴょう）	to release; to announce	发表、公布	발표하다
	飽きる（あきる）	to get bored with; to get tired of	厌烦、厌倦	싫증나다
13	定番（ていばん）	standard, regular	常备	정번
	主な（おもな）	main	主要的	주요
	意識する（いしき）	to be conscious	意识	의식하다
	一生（いっしょう）	entire life	一生	평생
14	使い分ける（つかいわける）	to use something in different ways	分开、分别	가려 쓰다
	変化する（へんか）	to change (vi.)	变化	변화하다
15	購買意欲（こうばいいよく）	consumer appetite; eagerness to buy	购买意欲	구매의욕
	刺激する（しげき）	to stimulate	刺激	자극하다
	回数（かいすう）	number of times	回数、次数	횟수
	増やす（ふやす）	to increase (vt.)	增加	늘리다
17	革小物（かわこもの）	small leather product	皮制小东西、皮制小件儿	가죽 소품
19	採用する（さいよう）	to hire; to adopt	采用、采纳	채용하다

20	高める（たかめる）	to increase; to heighten	提高	높이다
	つま先（つまさき）	the tip of a toe	脚尖儿	발끝
21	展開する（てんかい）	to expand; to develop	展开、展现	전개하다
22	大手（おおて）	major (company, organization)	大型、大企业、大	대형
	独占する（どくせん）	to monopolize	独占、专营	독점하다
	契約する（けいやく）	to enter into an agreement; to contract with	契约	계약하다
23	結ぶ（むすぶ）	to tie up	缔结	맺다
	店舗（てんぽ）	store; outlet	店铺	점포
	出店する（しゅってん）	to open stores	开店、开设	출점하다
24	合弁（ごうべん）	joint (venture)	合并	합작
	設立する（せつりつ）	to establish	设立	설립하다
25	引きつぐ（ひきつぐ）	to take over	接过、接管	이어받다
	拡大する（かくだい）	to expand; to magnify	扩大	확대하다
	初の（はつの）	the first ～	首次、初次	최초의
26	旗艦店（きかんてん）	flagship store	旗舰店	거점 점포
	続々と（ぞくぞくと）	one after another	不断	속속
28	次ぐ（つぐ）	to rank after	继……之后	다음으로
30	稼ぐ（かせぐ）	to earn	赚钱、获得	벌다
31	輸入する（ゆにゅう）	to import	进口	수입하다
34	拠点（きょてん）	base	基地	거점
36	売上高（うりあげだか）	amount of sales	销售额	매상액
37	収益（しゅうえき）	profit; gains	収益	수익

知っておくべきビジネス用語

0	アクセシブル・ラグジュアリー	従来のような上流の人のみが買う高級品ではなく、ふつうの人があまり無理せずに買える高級品。
24	合弁	ある事業に複数の会社が共同で出資すること。
36	収益	主に営業活動などによって得る利益のこと。ただし、売り上げだけではなく、手数料や利息、株の売買などで得た利益も入る。

内容確認

1. 読み物の内容と合っているものに○、違っているものに×をつけなさい。

① (　　　) コーチのマーケティング戦略は、それまでの他の高級ブランドが使った戦略とは違う。

② (　　　) コーチの商品は品質がよいので、消費者は誰でも「一生もの」として購入している。

③ (　　　) コーチは70年の歴史を大切にして、バッグや革小物だけを作っている。

④ (　　　) コーチの日本進出は、旗艦店を作ることから始まった。

⑤ (　　　) コーチの売り上げを地域別に見ると、1位が日本、2位がアメリカである。

⑥ (　　　) コーチは日本だけでなく、中国や南アジア、ヨーロッパなどにも進出している。

2. 下線部に言葉を入れて、文を完成させなさい。

① 今までの高級ブランドの戦略は (a)＿＿＿＿＿＿と (b)＿＿＿＿＿＿が重要だと考えられていました。買った人がステータスを得られる (c)＿＿＿＿＿価格の定番商品を、供給を (d)＿＿＿＿＿＿上流層の顧客に販売するという戦略です。

② コーチの戦略は、品質のよい製品を (a)＿＿＿＿＿＿価格で販売、新しいデザインを (b)＿＿＿＿＿発表することです。これにより、女性が持つブランドバッグのイメージが「一生もの」からスタイルや場合に応じて使い分ける (c)「＿＿＿＿＿＿＿＿＿＿＿＿＿＿＿」に変わりました。

③ コーチは1988年に日本へ (a)＿＿＿＿＿＿＿＿。まず、三越と (b)＿＿＿＿＿＿を結び、三越デパートに店舗を出店しました。その後、2001年に住友商事と (c)＿＿＿＿＿でコーチ・ジャパンを設立しました。

④ 2005年のコーチの全売り上げの (a)＿＿＿＿＿％は日本市場からのものです。この年の日本での売り上げは、2001年の売り上げの (b) 約＿＿＿＿倍です。

⑤ コーチは (a)＿＿＿＿、(b)＿＿＿＿、(c)＿＿＿＿などへも進出しています。2002年から2012年にかけて、売上高では年間 (d)＿＿＿＿＿、収益では年間 (e)＿＿＿＿＿＿の成長がありました。

文法

1 ～にほかならない　　<written> be nothing but ~; be simply ~

> これは消費者に「信頼のおける品質の高級なバッグを買いながらも、同時に生活の他の部分にもお金を使える」という機会を提供したこと**にほかなりません**。(② 9-10)

意味　～以外のものではない

文型　（ⅰ) N にほかならない　　（ⅱ) Splain ことにほかならない

例
a. 鈴木さんの成功は毎日の練習の成果にほかならない。
b. 何も知らなかったという彼女の発言は、自分を守るための言いわけにほかならない。
c. 選挙で投票率が低いのは、人々の政治への無関心の表れにほかならない。
d. 成功とは、自分の目標に向かって努力し、達成することにほかならない。

発展　理由を強める時には「Splain からにほかならない」を使う。「～という理由以外にない」という意味。

例：上司が部下に厳しいのは、部下に期待しているからにほかならない。

2 ～に対して／対する　　toward ~; to ~; in regard to ~

> 新しい商品を次々と発売して飽きさせないことによって、定番商品が主であるブランドバッグ**に対して**女性が持つ意識を、「一生もの」からそれぞれのスタイルや場合に応じて使い分ける「ファッションアイテム」へと変化させたのです。(② 12-15)

意味　行為、感情、意識、態度などが向かう対象を示す。後ろの部分にはNに向けた行為や感情などを表す表現が続く。

文型　（ⅰ) N に対して　　（ⅱ) N_1 に対する N_2

例
a. アメリカ本社は日本支社に対して厳しい態度をとった。
b. 最近、息子が親に対して反抗的になってきた。
c. 彼は自分の仕事に対して強い情熱を持っている。
d. 小林さんの部下に対する態度は、少し甘すぎるのではないでしょうか。

3 〜つつ <written> while

こうして、価格を抑え**つつ**購買意欲を刺激することで購入する回数を増やし、全体の売り上げを伸ばしたと考えられます。(2 15-16)

意味 〜ながら（一人の人があることをしているのと同時に別のこともしていることを示す）

文型 V*masu*-stem つつ

例
a. コスト削減の努力をしつつ、質の高い商品を安価で提供することで、わが社はお菓子のトップメーカーになれたのだ。
b. この問題については全員で協議しつつ、時間をかけて対策を考えていくべきだ。
c. 高木会長はこれからの会社の発展を願いつつ、昨日息をひきとった。

発展 「〜ながら」と同じ意味だが、「〜つつ」は「〜ながら」よりフォーマルな表現なので、前に日常的な行為が入ると不自然になる。
例：私は音楽を｛聞きながら／*聞きつつ｝、晩ご飯を食べた。

4 〜ことになる (come to) mean that 〜

これはコーチ・ジャパンのスタート時の売り上げ（約100億円）を、約4年で4倍にも伸ばしたことになります。(5 30-31)

意味 あるできごとや状況が何かを意味したり、ある結果や結論を当然みちびく、という意味。

文型 Splain ことになる

（例外：Adj(*na*)stem なことになる；Nであることになる）

例
a. 次のテストで問題がなかったら、この製品は発売できることになる。
b. 田中さんの発言が正しければ、遠山さんの発言が間違っていたということになる。
c. 彼にこれ以上聞くことは、彼を責めることになってしまう。

発展 「ことになる」には、次のように「何かが決まった」という意味もある。

Vplain.nonpast ことになる

例：私は来年結婚することになりました。

5 ～をはじめ　　starting with ~; including ~

> コーチは販売拠点を拡大して、中国をはじめ、南アジア、ヨーロッパなどへも進出し、売り上げを伸ばしています。（6 34-36）

意味　あとに続くものの代表的な例を最初に出す時に使う。

文型　N をはじめ

例
a. 田中さんをはじめ、皆様には大変お世話になりました。
b. わが社は環境問題への取り組みをはじめ、いろいろな社会貢献活動を行っている。

発展　「～をはじめ」の後に名詞をいくつか並べて、最後に「などのN」「のようなN」という表現をよく使う。

例：日本の高校では野球をはじめ、サッカーやテニスなどのスポーツが人気がある。

ステージ 3 練習

A 語彙練習

語彙練習1 下の言葉の意味を日本語で書きなさい。

① 最大　　　（　　　　　　　　　　　　　　　　　　　　　　）
② 従来の　　（　　　　　　　　　　　　　　　　　　　　　　）
③ 希少性　　（　　　　　　　　　　　　　　　　　　　　　　）
④ 購買意欲　（　　　　　　　　　　　　　　　　　　　　　　）
⑤ 続々と　　（　　　　　　　　　　　　　　　　　　　　　　）
⑥ 稼ぐ　　　（　　　　　　　　　　　　　　　　　　　　　　）
⑦ 輸入する　（　　　　　　　　　　　　　　　　　　　　　　）

語彙練習2 ［　　］から言葉を選んで、文を完成させなさい。

開拓　　対象　　契約　　変化　　要因

① マンガの中には子供を＿＿＿＿＿＿＿にしていないものもある。

② みんなが頑張ったおかげで、やっとR社と＿＿＿＿＿＿＿を結ぶことができた。

③ 失敗しても、その失敗の＿＿＿＿＿＿＿を考え、次にそれを避けるようにすればいい。

④ 森先生はこの分野を＿＿＿＿＿＿＿し、発展させた人で、まさにパイオニアである。

⑤ 3月は暖かかったり寒かったりと気温の＿＿＿＿＿＿＿が激しい。

語彙練習3 ［　　］から言葉を選び、適当な形にして＿＿＿に入れなさい。

引きつぐ　　飽きる　　抑える　　採用する　　成長する

① 日本に来てから毎朝みそ汁とご飯なので、少し＿＿＿＿＿＿＿＿＿しまいました。

② 子供は＿＿＿＿＿＿＿＿＿のが早くて、すぐ大きくなりますね。

③ 優秀な新入社員を＿＿＿＿＿＿＿＿＿のは、非常に骨の折れる仕事だ。

④ 上司の仕事を＿＿＿＿＿＿＿＿＿＿＿＿、顧客データの管理をするようになった。

⑤ やせたいけどやせられない。食欲を＿＿＿＿＿＿＿＿＿＿＿ために水をたくさん飲んでみたが、だめだった。

B 文法練習

文法練習1 【～にほかならない】

☐ の中から適当な表現を選んで、「～にほかならない」を使った文を完成させなさい。⑤は自分で文を完成させなさい。

| 特別な気持ちではなくただの挨拶　　目の前のチャンスを逃すこと |
| みんなの努力の結果　　犯罪　　自分の会社を作ること |

① この成功は ＿＿＿＿＿＿＿＿＿＿＿＿＿＿＿＿＿＿＿＿＿＿＿＿＿＿＿＿＿＿

② 彼女があなたに話しかけるのは、＿＿＿＿＿＿＿＿＿＿＿＿＿＿＿＿＿＿＿＿

③ 日本留学をあきらめることは＿＿＿＿＿＿＿＿＿＿＿＿＿＿＿＿＿＿＿＿＿＿

④ あなたがよく考えずにしたことは＿＿＿＿＿＿＿＿＿＿＿＿＿＿＿＿＿＿＿＿

⑤ 彼が言ったことは ＿＿＿＿＿＿＿＿＿＿＿＿＿＿＿＿＿＿＿＿＿＿＿＿＿＿

文法練習2 【～に対して／対する】

☐ から適当な表現を選び、「対して」「対する」のどちらか正しいほうを使って文を完成させなさい。⑤は自分で文を完成させなさい。

| 社会に｛対して／対する｝　　新商品に｛対して／対する｝ |
| 新入社員に｛対して／対する｝　　子供に｛対して／対する｝ |

① 大人が＿＿＿＿＿＿＿＿＿＿＿＿＿＿そんな言い方をしてはいけないと思う。

② CSRは、企業の＿＿＿＿＿＿＿＿＿＿＿＿＿＿責任という意味だ。

③ _____消費者の反応はあまりいいとは言えない。

④ すみませんが、この理論を_____分かりやすく説明してもらえませんか。

⑤ _____ご意見を聞かせてくださいませんか。

文法練習3 【〜つつ】

A. 例のように、「〜つつ」を使って２つの文を１つにしなさい。

　　例）今年をふり返る／来年の目標を立ててみてほしい
　　　　→　今年をふり返りつつ、来年の目標を立ててみてほしい。

① すばらしい伝統を守る／新しいコーディネートの仕方も提案することで、若い人にもっと着物のよさを知ってもらいたい

　　→ _____

② 先輩のアドバイスを聞く／自分の答えを見つけていきたいと思う

　　→ _____

③ 売り上げを伸ばすためには現在のファンを維持する／新しいファンを作らなければならない

　　→ _____

B.「つつ」を使った文を完成させなさい。

① 健康的にやせるには、食べる量を減らしつつ、_____

② 将来の仕事は、周りの人の意見を聞きつつ、_____

③ 退院したばかりなので、しばらくの間は体調を見つつ、_____

文法練習4 【〜ことになる】

A. ☐から適当な表現を選んで、文を完成させなさい。

| 役員になった | リーダーになるのに年は関係ない |
| うそをついた | ２年続けて会社の売り上げが落ちた |

① _____のだから、われわれのマーケティング戦略が効果的ではなかったことになる。

② 彼が_____ら、もうその候補者を探す必要はないことになる。

③ 若い森さんがこの研究グループの代表になったのだから、_____ことになる。

④ 「やる」と言ったことをしないままにしておくと、_____ことになってしまう。

B.「〜ことになる」を使った文を完成させなさい。

① _____予定を変更しなければいけないことになる。

② _____自分が悪いと認めることになる。

③ 彼が考えを変えなければ、_____ことになってしまうだろう。

④ 次の試験に受からなければ、_____

文法練習5 【〜をはじめ】

「〜をはじめ」を使って質問に答えなさい。

例）若い女性に人気がある化粧品には、どんなブランドがありますか。
→ クリニークをはじめ、エスティローダーやランコムのような中ぐらいの価格のブランドが人気があります。

① あなたの大学にはどのような学部がありますか。

→ _____

② 大学生に人気がある飲み物と言えば、どんな飲み物がありますか。

→ _____

③ あなたの国ではどんな農作物が作られていますか。

→ _____

C 表現練習

表現練習1 読み物「コーチのアクセシブル・ラグジュアリー・ブランドとしての成功と日本進出」の各段落はどのような内容ですか。簡単にまとめなさい。

段落 1	
段落 2	
段落 3	
段落 4	
段落 5	
段落 6	

表現練習2 以下の①〜④の質問について、┊┈┈┊の言葉を全部使って、読み物を見ないで答えなさい。できるだけ話のまとまりを意識して書きなさい。

① 従来の高級ブランドはどういう戦略をとっていましたか。

┌───┐
│ 高級感　希少性　ステータス　供給　上流層　対象 │
└───┘

② コーチが「アクセシブル・ラグジュアリー・ブランド」としてとった戦略はどういうものですか。

┌───┐
│ 手の届く　毎月　購買意欲　一生もの　ファッションアイテム │
└───┘

③ コーチはどのように日本に進出しましたか。

┌───┐
│ 三越デパート　独占販売契約　合弁　店舗　旗艦店　200 │
└───┘

④ コーチが日本に進出した結果はどうでしたか。

┌───┐
│ 第二の市場　4倍　輸入ハンドバッグ・アクセサリー　シェア │
└───┘

ステージ 4 タスク

●タスク1 ジグソータスク

バラバラになった文章を正しく並べて、1つの文章にしなさい。

1. 4人ずつのグループに分かれます。各グループの学生は、b～eの文章を1人1つずつ黙読します。(b～eは巻末p.118～125)
2. 各自、自分が読んだ文章の内容を他のメンバーに説明します(文章をそのまま読まないで、自分の言葉で説明してください)。それからグループで話し合って、下のaの文章に続けてb～eを正しい順番に並べなさい。

順番： (a) → (　　) → (　　) → (　　) → (　　)

---

a. ヨーロッパでは、ルイ・ヴィトンをはじめとする高級ブランドの対象は、上流層を中心とした小さなマーケットです。けれども、日本には「世界で唯一のマス高級市場」と言われるほどの、若い人や中流層も含んだ大きなマーケットがあります。

タスク2 ディスカッション

ペア、あるいはグループで、下の（1）～（3）について考えてください。まず、自分の国はどうか、次に日本はどうかをあげてください。その後で、自分の国と日本の状況の同じ点、違う点を話し合ってください。

(1) かばん、服、靴、車などのブランドで、どんな高級ブランドが人気がありますか。
（他のものについても、どんな高級ブランドがあるか考えてみてください。）
(2) どんな人がそのようなブランド品を買いますか。
(3) どうしてそのようなブランドがよく買われていると思いますか。また、人々はそれらのブランドについてどのように思っていますか。

	●自分の国	○日本
(1)		
(2)		
(3)		

ステージ4 | タスク

●タスク3 問題解決タスク

ブランド品を少しでも安く手に入れたいという思いから、個人輸入やインターネットオークションなどで購入しようとする消費者も増えてきました。しかし、直営店や正規のホームページなど以外で大幅に安く販売されている場合、にせものである可能性が少なくないと指摘されています。

1. にせブランド商品の販売には、具体的にどのような問題があるか、調べてください。

   - _____
   - _____
   - _____
   - _____
   - _____
   - _____
   - _____

2. あなたは、ブランド商品を販売する企業の社員です。にせブランド問題に対する対策案を考えてください（消費者の知識や意識を高める、商品開発など）。

ユニット4
ウォルマート

Unit 4

＊本ユニットの執筆には、西友の協力をいただきました。

ステージ 1 前作業 (話し合いましょう)

1 毎日の買い物

(a) あなたやあなたの家族は、食料品や生活用品をどこで買いますか。どうしてそこで買うのですか。

(b) あなたやあなたの家族は、いつ食料品や生活用品の買い物に行きますか。1週間に何回くらい行きますか。何を使って店まで行きますか。

2 ウォルマート

(a) あなたはウォルマートで買い物をしたことがありますか。

(はい) → その時の経験はどうでしたか（例：品ぞろえ、価格（かかく）、商品の質、店員のサービスなど）。

(いいえ) → 大型（おおがた）スーパーで買い物をしたことはありますか。その時の経験を話してください（例：品ぞろえ、価格、商品の質、店員のサービスなど）。

(b) あなたはウォルマートに対して、どんなイメージを持っていますか。

(c) 日本のウォルマートである「西友」のホームページを調べてください。品ぞろえ、価格、サービスなどにどんな特徴がありますか。

・品ぞろえ

・価格

・サービス

・その他

(d) ウォルマートや他の大型スーパーと、小規模の小売店を比べてみてください。同じだと思いますか。違うと思いますか。どうしてそう思いますか。

西友の店舗

3 ウォルマートの海外店舗数

下の棒グラフは、2006年11月時点のウォルマートの海外店舗数を示したものです。グラフを見て答えなさい。

(a) ウォルマートはどの地域に積極的に進出していますか。

(b) グラフからどんなことが分かりますか。

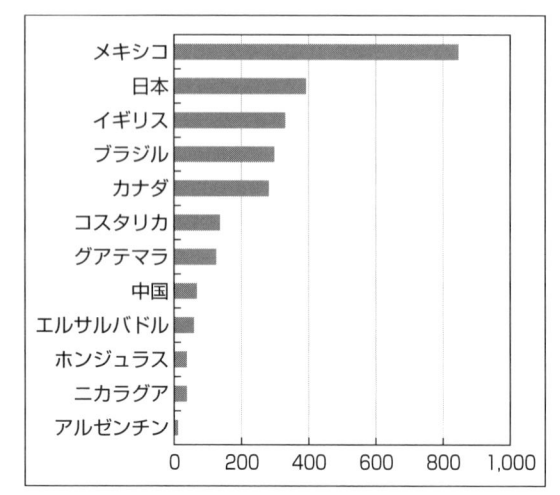

出典：http://news.walmart.com/news-archive/2006/11/08/international-operations-data-sheet-november-2006

(c) 下の棒グラフは上のグラフの7年後、2013年の海外店舗数です。2006年のグラフとこのグラフから、どんなことが分かりますか。

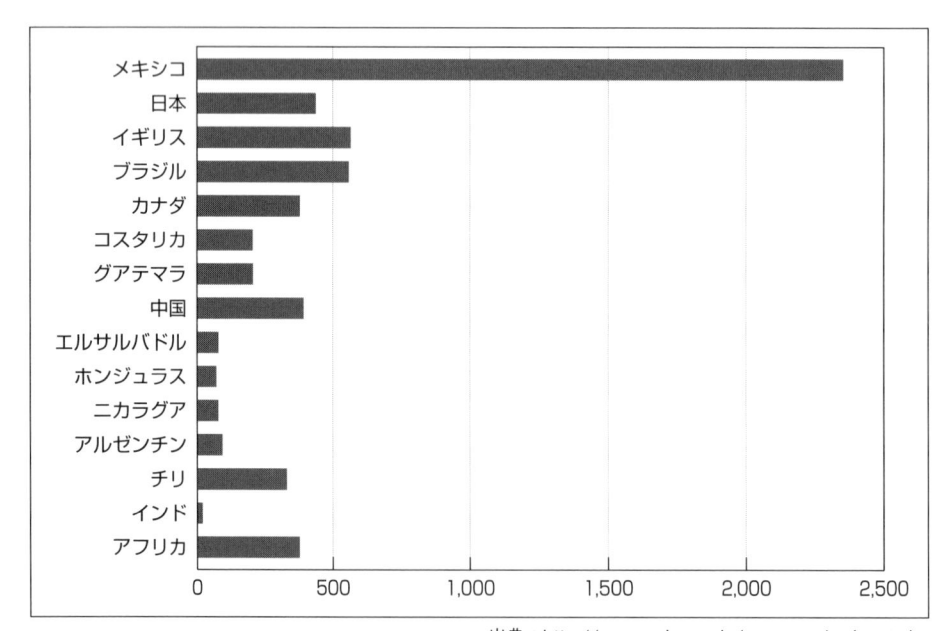

出典：http://www.seiyu.co.jp/company/walmart.php

4 ウォルマートの海外進出

次の文章を、辞書を引かないで5分以内で読みなさい。そして、下の「速読チェック」①～④を読んで、正しいものには○、違うものには×を書きなさい。

1 　　ウォルマートはアメリカのスーパーだが、これまで積極的に海外進出を行ってきた。現在、全世界27か国に店舗を展開している。
　　アメリカ大陸（北米・中米・南米）に積極的に進出している一方で、ヨーロッパ・アジアへの進出はまだ限定的だ。海外進出に関しては、ウォルマートは、マ
5 ーケットが米国と比較的似ていて、参入の壁が低いと考えられる近隣諸国から始め、海外経験をしばらく積んだ上で遠い地域に参入していくという戦略をとっている。例えば、最初に海外店舗をオープンしたのは1991年で、場所はメキシコだ。その次の年にプエルトリコに進出し、1994年にはカナダに進出した。
　　ウォルマートの海外進出は、強大な資本力に支えられた合併や買収による進出
10 が多いことも特徴だ。
　　しかし、ウォルマートの海外進出はすべて成功しているわけではない。近年、思うように売り上げが伸びなかった国では店舗を売り、撤退した。2006年にはドイツと韓国から撤退し、それぞれ、持っていた店舗を他の会社に売却している。

資本力：資本（ビジネスに使えるお金）の大きさ
合併：二つ以上の組織が一つになること
買収：会社が別の会社を買うこと
撤退する：引きあげる。「進出する」の反対。
売却する：売る

速読チェック──○か×か？

①（　　　）ウォルマートは海外進出に積極的だ。
②（　　　）ウォルマートはアメリカから遠い地域から参入していった。
③（　　　）ウォルマートの海外進出は、主に合併や買収という方法をとっている。
④（　　　）ウォルマートは海外進出にすべて成功したと言える。

ステージ 2 読み物

ウォルマートの基本戦略と日本進出

1　① 米国で1962年に創立されたウォルマートは、2013年現在、世界で10,773店舗（米国国内4,625店舗、海外27か国で6,148店舗）を展開し、売り上げ約4,661億ドル、全世界で220万人を雇用する世界最大の小売業だ。

② ウォルマートの基本戦略は"EDLP（Everyday Low Price）"——つまり「毎日低価格
5　で商品を提供する」ということだ。ウォルマートでは月に一度や週に一度のバーゲンセールではなく、商品を毎日同じ価格で、しかも安く提供している。例えば、キッチン用品や洋服などは、他のスーパーの通常価格の30％から50％も安く販売されている。

③ しかし、商品を安くしながら利益を上げるということは非常に難しく、様々な方法によるコスト管理やコスト削減なくしては不可能である。ウォルマートがとったコスト削減の
10　方法の一つに、物流戦略があげられる。サプライヤーから仕入れた商品の物流に他社を使わず、自社の物流センターをアメリカ全土に配置し、そこから近くの店舗に商品を配送する。土地の安い郊外に物流センターを作り、そこに商品をストックすることで在庫管理費用が削減できるほか、ビジネスの規模が大きくなっても他社を使うよりはるかにコストを抑えることができる。また、米小売業で初めて、商品管理にバーコードを使ったPOS（ポ
15　ス）システムを導入したりするなど、ウォルマートは情報技術（IT）への投資に積極的だった。「いつどこでどんな商品がどれくらい売れているか」という情報をサプライヤー

と共有し、足りなくなった商品はすぐに物流センターに配送してもらい、そこから24時間以内に店に配送するシステムを作り上げた。これにより、品切れによる売り上げロスをなくすとともに、在庫の持ちすぎからくる在庫管理費用の無駄を大幅に削減している。

4　もう一つのコスト削減の方法は、仕入れ値を下げることだ。ウォルマートは世界最大の小売業になり、サプライヤーに対して圧倒的な力を持った。そして、例えば、商品の中身や質が何年か変わらなければ5％の値引きを要求、それができなければその商品は置かない、という圧力をかけ、仕入れ値を削減することに成功している。そのため、時にはサプライヤーにとってほとんど利益が出ないような価格になることもあるようだ。これほどのことができるのも、ウォルマートが消費者市場において絶対的な力を持っていればこそだろう。

5　ウォルマートは、2002年に日本のスーパー、西友と資本提携し、2007年度までに持ち株比率を66.7％に上げると発表、事実上の買収により日本へ進出した。そして、それ以後、慎重にビジネスを展開していく姿勢をとっている。その過程を詳しく見ると、ウォルマートは2002年に西友の買収を発表したものの、2003年までは出資比率を上げるだけだった。しかし、2003年にウォルマートから取締役を5人派遣し、2004年ごろから、グレートバリューやジョージなど、ウォルマートのプライベートブランドの販売を開始。さらに、EDLPなどウォルマート式の販売スタイルを取り入れた店舗をオープンしたり、子供服にアメリカのブランド商品を置いたりするなど、少しずつウォルマート色を出し始めた。そして、2005年にはウォルマート式の物流センターを設立、2007年には西友の株の95.1％を保有、2008年に100％保有して完全子会社化した。2009年には西友とともに「ウォルマート・ジャパン・ホールディングス」という会社を設立し、西友はその100％子会社となった。

6　ただ、ウォルマートの日本進出は必ずしも成功しているとは言えない。2004年は71億円の赤字、2005年は123億円の赤字、2006年は177億円の赤字、2007年は209億円の赤字になっている。このような状況からウォルマートは日本市場から撤退するのではないかといううわさもあったが、ウォルマートは、「我々は日本市場は重要だと考えており、日本市場から撤退はしない」と発表し、さらに経営を強化する姿勢を見せた。

語彙表

0	基本 (きほん)	basic; fundamental	基本	기본
1	創立する (そうりつ)	to establish	創立	창립하다
3	雇用する (こよう)	to employ	雇用	고용하다
	小売業 (こうりぎょう)	retail business	零售业	소매업체
6	用品 (ようひん)	utensil	用具	용품
7	通常 (つうじょう)	usual	一般	정상
8	非常に (ひじょうに)	very	非常地	아주, 매우
	方法 (ほうほう)	way; method	方法	방법
9	不可能 (ふかのう)	impossible	不可能	불가능
11	配置する (はいち)	to place; to deploy	设置	배치하다
	配送する (はいそう)	to deliver; to distribute	运送	배송하다
13	規模 (きぼ)	scale; size	规模	규모
14	POS (ポス) システム	point-of-sale system	Pos 系统	POS 시스템
15	導入する (どうにゅう)	to introduce; to install	导入	도입하다
	投資する (とうし)	to invest	投资	투자하다
	積極的 (せっきょくてき)	active; vigorous	积极	적극적
17	共有する (きょうゆう)	to share	共有、共享	공유하다
18	品切れ (しなぎれ)	lack of stock	无货	품절
19	無駄 (むだ)	waste	浪费	낭비
	大幅に (おおはばに)	significantly	大幅度地	대폭
20	仕入れ値 (しいれね)	cost price	进货价格	매입가
21	中身 (なかみ)	content	本身	내용
22	値引きする (ねびき)	to cut a price; to discount	降价	할인하다
	要求する (ようきゅう)	to demand; to request	要求	요구하다
23	圧力 (あつりょく)	pressure	压力	압력
25	絶対的 (ぜったいてき)	absolute	绝对的	절대적
27	資本提携する (しほんていけい)	to form a capital alliance	合资	자본 제휴하다
	持ち株 (もちかぶ)	share holding	持有股份	소유주
28	比率 (ひりつ)	ratio; percentage	比率	비율
	事実上 (じじつじょう)	as a matter of practice; de facto	实际上	사실상
	買収する (ばいしゅう)	to take over; to acquire	收购	매수하다
29	慎重に (しんちょうに)	carefully	慎重地	신중히
	姿勢 (しせい)	stance; approach	姿态	자세
	過程 (かてい)	process	过程	과정
	詳しい (くわしい)	detailed; specific	详细	자세한
30	出資する (しゅっし)	to capitalize; to finance	出资	출자하다
31	取締役 (とりしまりやく)	board member	董事	이사
	派遣する (はけん)	to dispatch; to send	派遣	파견하다
33	取り入れる (とりいれる)	to incorporate; to adopt	采用	도입하다

35	株（かぶ）	stock; share	股份	주식
36	保有する（ほゆう）	to possess	拥有	보유하다
	完全（かんぜん）	complete	彻底	완전
39	赤字（あかじ）	deficit; the red	赤字	적자
40	状況（じょうきょう）	situation	状况	상황
	撤退する（てったい）	to withdraw	撤退	철퇴하다
41	うわさ	rumor	谣传	소문
	我々（われわれ）	we	我们	우리
42	経営する（けいえい）	to manage (a company)	经营	경영하다

知っておくべきビジネス用語

10　仕入れ（しいれ）
「仕入れる」は店がメーカーや問屋から商品を買うこと。「仕入れ値」（20行目）は店が物を仕入れた時の値段。「原価」ともいう。

14　POS（ポス）システム
「POS」は英語のPoint Of Salesの略。店で商品を販売するごとに、商品名、値段、日時、数量などの販売情報を記録し、結果を在庫管理やマーケティングのためのデータとして用いるシステム。

27　資本提携（しほんていけい）
企業がお互いの株の持ち合いなどを通して、相手の企業に資金を出し合うこと。お互いの信頼関係が深まり長期的に提携するという意味をもつ。片方の企業がより多くの出資を受ける場合もある。

32　プライベートブランド
小売店が自分たちで企画した商品につけるブランドのこと。ストアブランドともいう。メーカーが商品につける「ナショナルブランド」に対する言葉。

36　完全子会社（かんぜんこがいしゃ）
すべての株式を親会社が持っている子会社のこと。完全子会社は上場（株式を公開すること）ができない。

内容確認

1. 読み物の内容と合っているものに〇、違っているものに×をつけなさい。

① (　　　　) ウォルマートは週に一度バーゲンセールをしている。

② (　　　　) ウォルマートは低価格で商品を売るので、サプライヤーにとって利益があまり出ないこともある。

③ (　　　　) ウォルマートが作り上げた自社で行う物流システムは、コスト削減の助けとなっている。

④ (　　　　) 西友は2004年から4年間赤字である。

⑤ (　　　　) ウォルマートは西友の状況がよくなくても日本から撤退せず、日本での経営に力を入れようとしているようだ。

2. 下線部に言葉を入れて、文を完成させなさい。

①ウォルマートは2013年現在、世界で(a)＿＿＿＿＿店舗を持ち、世界(b)＿＿＿＿＿の小売業だ。

②ウォルマートの基本戦略は(a)「＿＿＿＿＿＿」だ。それは毎日同じ(b)＿＿＿＿＿価格で商品を提供することだ。

③ウォルマートのコスト削減の方法の一つは(a)＿＿＿＿＿＿だ。それは自分の会社の(b)＿＿＿＿＿を土地の安い郊外に作り、そこから近くの(c)＿＿＿＿＿に商品を運ぶシステムだ。

④また、(a)＿＿＿＿＿＿を使ってサプライヤーと商品の販売情報を共有し、足りない(b)＿＿＿＿＿をできるだけ早く物流センターから(c)＿＿＿＿＿＿＿＿＿＿＿システムを作った。

⑤ウォルマートは仕入れ値の削減にも成功している。世界(a)＿＿＿＿＿＿なので、サプライヤーに対して強い力を持ち、(b)＿＿＿＿＿を強く要求することが可能だ。

⑥ウォルマートは2002年に(a)＿＿＿＿＿という日本のスーパーと(b)＿＿＿＿＿した。そして、持ち株比率を(c)＿＿＿＿＿ていき、数年かけて完全子会社化した。

⑦西友の状況は決してよいとは言えず、2004年から(a)＿＿＿＿＿が増え続けている。けれどもウォルマートは日本市場から撤退(b)＿＿＿＿＿と発表し、経営をさらに強化しようとしている。

文法

1 〜なくしては　　<written> without ~; if it were not for ~

> しかし、商品を安くしながら利益を上げるということは非常に難しく、様々な方法によるコスト管理やコスト削減**なくしては**不可能である。(③ 8-9)

意味　〜なしでは、〜がなかったら

文型　Nなくしては

例
a. 強いリーダーシップ<u>なくしては</u>、この会社は立ち直れないだろう。
b. 日々の努力<u>なくしては</u>、彼の今日の成功はなかっただろう。
c. この小説は涙<u>なくしては</u>読めない感動の物語です。
d. 家族のサポート<u>なくしては</u>、私が目標を達成することはできなかったと思う。

発展　口語では「〜なしには」をよく使う。
例：母の助け<u>なしには</u>自分の夢を実現できなかったと思う。

2 〜ことで　　by V-ing

> 土地の安い郊外に物流センターを作り、そこに商品をストックする**ことで**在庫管理費用が削減できるほか、ビジネスの規模が大きくなっても他社を使うよりはるかにコストを抑えることができる。(③ 12-14)

意味　何かをする時の手段を示す。

文型　Vplain.nonpast ＋ ことで

例
a. 私は週末にテニスをする<u>ことで</u>気分転換するようにしている。
b. メールを使う<u>ことで</u>、社内のコミュニケーションがとりやすくなった。
c. 若い社員にも仕事を任せる<u>ことで</u>仕事の分担がうまくいくはずだ。

発展　「ことで」の前が状態や過去の行為の時は、理由・原因を示す。
例：うちの職場は<u>女性である</u>ことで不利になることは決してない。
　　私が事情を<u>説明した</u>ことで、話し合いが逆に気まずい雰囲気になってしまった。

3 ～ばこそ   <written> it is precisely because ~ that ~

> これほどのことができるのも、ウォルマートが消費者市場において絶対的な力を持っていれ**ばこそ**だろう。(4 24-26)

意味 理由を強調する表現。

文型 (ⅰ) ｛Vcond ／ Adj(*i*)cond｝ばこそ
(ⅱ) ｛Adj(*na*)stem ／ N｝であればこそ

例 a. 確かに田中課長は厳しい。でも、うるさく注意するのは部下に期待すれ**ばこそ**だろう。
b. 負けた時の悔しさを経験していれ**ばこそ**、勝った時の喜びが大きい。
c. いろいろなことにチャレンジできるのは健康であれ**ばこそ**だ。

発展 「～ばこそ」は「～からこそ」でも言いかえられる。
例：確かに田中課長は厳しい。でも、うるさく注意するのは部下に期待｛すれ**ばこそ**／する**からこそ**｝だろう。
いろいろなことにチャレンジできるのは健康｛であれ**ばこそ**／である**からこそ**｝だ。
「～ばこそ」は否定形とは使えないが、「～からこそ」は使える。
例：上手に｛×でき**なければこそ**／○でき**ないからこそ**｝、いっしょうけんめい練習しなければいけないのだ。

4 S₁ ものの S₂   <written> although; though; even though

> その過程を詳しく見ると、ウォルマートは2002年に西友の買収を発表した**ものの**、2003年までは出資比率を上げるだけだった。(5 29-30)

意味 ～けれども、しかし（S₂の内容が期待・予想されることではない時に使う）

文型 (ⅰ) ｛Vplain ／ Adj(*i*)plain｝ものの S₂
(ⅱ) Adj(*na*)stem ｛な／である／だった／であった｝ ものの S₂
(ⅲ) N ｛である／だった／であった｝ ものの S₂

例 a. わが社はいい事業案を持っている**ものの**、それを実行する資金がない。
b. この映画は大ヒットした**ものの**、作品としての評価は低かった。
c. 彼はチームのリーダーである**ものの**、チームを引っ張っていく力が感じられない。

発展 S₂は事実でなければならないので、疑問文や、未来の行為を示す命令・依頼・提案などは使えない。
例：×この企画はまだ完成していない**ものの**、みなさんにお話ししたほうがいいですか。
×とてもお忙しい**ものの**、この仕事を手伝っていただけませんか。

5 必ずしも〜ない　　not necessarily

> ただ、ウォルマートの日本進出は**必ずしも**成功しているとは言え**ない**。（6 38）

意味　いつもそうというわけではない、一部はそうだが全部はそうではない、という部分否定。

文型　必ずしも〜ない（文の最後は否定形）

例
a. 我々はもちろんいつも最善の戦略を立てる。しかし、それが必ずしもうまくいくとは限らない。
b. 面白いゲームに必ずしも最新の技術が必要なわけではない。
c. ここ10年成長してきたからと言って、必ずしも将来も成長し続けるとは限らない。

発展　「必ずしも」以外に「いつも」「みんな」「全部」なども部分否定に使われる。

例：私はたいてい元気ですが、いつも元気で楽しいというわけではありません。

　　彼は有名な作家だが、彼の書いた作品が全部有名であるとは言えない。

ステージ 3 練習

A 語彙練習

語彙練習1 下の言葉の意味を日本語で書きなさい。

① 雇用する　　（　　　　　　　　　　　　　　　　　　　　　　　　　）
② 通常　　　　（　　　　　　　　　　　　　　　　　　　　　　　　　）
③ 品切れ　　　（　　　　　　　　　　　　　　　　　　　　　　　　　）
④ 値引きする　（　　　　　　　　　　　　　　　　　　　　　　　　　）
⑤ 派遣する　　（　　　　　　　　　　　　　　　　　　　　　　　　　）
　はけん
⑥ 撤退する　　（　　　　　　　　　　　　　　　　　　　　　　　　　）
　てったい

語彙練習2 ☐ から言葉を選び、適当な形にして＿＿＿＿に入れなさい。

共有します　　買収します　　導入します　　経営します　　保有します
ほゆう

① A社はB社を＿＿＿＿＿＿＿＿＿＿、新しい市場に進出する第一歩としました。

② 彼女はレストランを＿＿＿＿＿＿＿＿＿＿、子供を3人も育てた。
　かのじょ　　　　　　　　　　　　　　　　　　こども　　　　そだ

③ ブログやツイッターなど、自分の意見や情報を他の人たちと＿＿＿＿＿＿＿＿ソーシャルメディアの利用が最近増えています。
　りよう

④ わが社が＿＿＿＿＿＿＿＿＿＿お客様の個人情報の管理は、適切に行われている。
　　　　　　　　　　　　　きゃくさま　こじん　　　　　　てきせつ

⑤ 小学校に英語教育を＿＿＿＿＿＿＿＿＿＿ことに賛否両論あった。
　　　　　きょういく　　　　　　　　　　さんぴりょうろん

B 文法練習

文法練習1 【～なくしては】

A. ☐から適当な表現を選び、「～なくしては」を使って文を完成させなさい。

> 人としての魅力　　きちんとした計画　　政界での次世代リーダーの養成

① _____、この国のこれからの発展は望めない。

② _____、このプロジェクトにどのくらいの期間がかかるか分からない。

③ 仕事ができるのはもちろんだが、_____上司としての人望は集められない。

B. 「～なくしては」から始まる文を完成させなさい。④は自分の文を作りなさい。

① A社との提携なくしては、_____

② 目標なくしては、_____

③ 先生の熱心なご指導なくしては、_____

④ _____

文法練習2 【～ことで】

A. 例のように下線部を「～ことで」に変え、☐から適当な表現を選んで文を完成させなさい。

> 彼女に近づいていった（例）　　少しでもみなさんのお手伝いができたらと思う
> 人は成長するものだ　　　　　　ブランドの力を落とさない戦略が大切だ

例）彼は毎日メールを送る
　→　彼は毎日メールを送ることで、彼女に近づいていった。

① 質の高い商品を提供する

　→ _____

② 自分の弱さに気づき、それを克服する

→ _____

③ 役員になる

→ _____

B.「～ことで」を使って文を作りなさい。③は自分の文を作りなさい。

① 私は_____リラックスするようにしています。

② _____売り上げが伸びた。

③ _____

文法練習3 【～ばこそ】

☐ から適当な表現を選び、「～ばこそ」を使って文を完成させなさい。⑤は自分で文を完成させなさい。

| 心配する　　有名だ　　日本語が上手になってほしいと思う　　困難だ |

① _____、先生は厳しく指導するのだ。

② あなたを_____、いろいろ言ってしまうんですよ。

③ あなたが_____、みんながあなたの言動に注目するのだ。

④ _____、チャレンジする意味があるのだ。

⑤ _____、慎重に考えるべきだ。

文法練習4 【ものの】

A. 例のように「ものの」を使って、2つの文を1つにしなさい。

例) 田中さんは在庫の管理を任せられました／実際は部下の山下さんに全部やらせています

→ 田中さんは在庫の管理を任せられたものの、実際は部下の山下さんに全部やらせています。

① 細かい点はまだ完全ではありません／企画書の要点はよくまとまっています

→ _____

② 上司の仕事を引きつぎました／何をしたらいいのかまだよく分かりません

→ _____

③ ここ2〜3年、売り上げは横ばいだ／来年からは少しずつ上向きになるのではないかと予測されている

→ _____

B.「〜ものの」を使って、文を完成させなさい。④は自分の文を作りなさい。

① _____ 売り上げは下がってしまった。

② _____ 会議は予定通り行われた。

③ 病気がまだ完全には治っていないものの、_____

④ _____

文法練習5 【必ずしも】

「必ずしも」を使った文を完成させなさい。

① お金はないと困るが、必ずしも_____ とは思わない。

② 売り上げを伸ばすために宣伝広告は大事だが、必ずしも多額の広告費を_____ とは限らない。

③ 上司が言ったことだからといって、必ずしも_____ とは限らない。

④ たしかに消費者は値段をいつも気にしているが、必ずしも_____ というわけではない。

C 表現練習

表現練習1 読み物「ウォルマートの基本戦略と日本進出」の各段落はどのような内容ですか。簡単にまとめなさい。

段落1	
段落2	
段落3	
段落4	
段落5	
段落6	

表現練習2 以下の①〜④の質問について、□□□の言葉を全部使って、読み物を見ないで答えなさい。できるだけ話のまとまりを意識して書きなさい。

① EDLPとはどういう戦略ですか。

> 価格　　バーゲンセール

② ウォルマートの物流戦略とはどのようなものですか。

> 自社　　物流センター　　POSシステム　　配送

③ ウォルマートが世界最大の小売業であることは、どのようにコスト削減の助けとなっていますか。

> 値引き　　利益　　仕入れ値

④ ウォルマートはどのようにして日本への進出を進めていますか。

> 西友　　資本提携　　慎重に　　ウォルマート式の販売　　子会社化

ステージ 4 タスク

●タスク1　ジグソータスク

バラバラになった文章を正しく並べて、1つの文章にしなさい。

1. 5人ずつのグループに分かれます。各グループの学生は、b〜fの文章を1人1つずつ黙読します。（b〜fは巻末p.118〜126）
2. 各自、自分が読んだ文章の内容を他のメンバーに説明します（文章をそのまま読まないで、自分の言葉で説明してください）。それからグループで話し合って、下のaの文章に続けてb〜fを正しい順番に並べなさい。

順番：　（ a ）→（　　）→（　　）→（　　）→（　　）→（　　）

---

a. 日本では、1990年代に入るまで大型店舗の出店が規制*されていた。しかし、1980年代後半からアメリカの激しいクレームを受け、出店規制は次第に緩和されていった。1990年代には多くの大型スーパーが積極的に出店したが、当時はすでに不況で消費が大きく減っており、売り上げを伸ばすのに苦労する店も多かった。1990年代後半に日本市場に参入したコストコ（米）やカルフール（仏）などの世界的な総合スーパーも、成功したとは言えなかった。ウォルマートは、このような状況の中、2002年に日本市場に進出した。

*規制：コントロール

● タスク2 ディスカッション

ペア、あるいはグループで、下の（1）～（3）について考えてください。まず、自分の国はどうか、次に日本はどうかをあげてください。その後で、自分の国と日本の状況の同じ点、違う点を話し合ってください。

（1）人々は食料品や生活用品をどこで買いますか。どうしてその店に行くのですか。
（2）いつ食料品や生活用品の買い物に行きますか。1週間に何回くらい行きますか。
（3）何を使って店まで行きますか。車で行きますか。歩いて行きますか。

	●自分の国	○日本
(1)		
(2)	●自分の国	○日本
(3)	●自分の国	○日本

ステージ4 | タスク

●タスク3 問題解決タスク

ウォルマートが日本に進出してからも、西友はよくなっているとは言えません。
成功するためにはどうしたらいいか、下のポイントについて話し合ってください。

☆話し合いのポイント

1. ウォルマートのEDLPは、頻繁に買い物に行き、その日ごとのバーゲン品を買うという一般的な日本の消費スタイルに合わない。

2. ウォルマートは商品を安く提供することに力を入れているが、日本では安い商品を「質が低い」と考える人が多い。

3. 世界最大の小売であるということがウォルマートの強みだが、日本の生鮮食料品のサプライヤーは経営規模の小さいところが多いので、この強みがあまり生かせない。

ユニット5
トヨタ

Unit 5

＊本ユニットの執筆には、トヨタ自動車（株）の協力をいただきました。

ステージ 1 前作業（話し合いましょう）

1 生活の中の車

(a) あなたは運転免許を持っていますか。
　　（はい）　→　何歳の時、取りましたか。
　　（いいえ）→　どうして持っていないのですか。

(b) あなたやあなたの家族は、自動車を持っていますか。
　　（はい）　→　どんな車ですか。どうしてその車を買ったのですか。どんな時、車を使いますか。
　　（いいえ）→　買うとすればどんな車がほしいですか。どうしてその車がほしいのですか。また、どんな時に車があればいいと思いますか。

2 トヨタ・ブランド

(a) あなたはどんなトヨタの車を知っていますか。

(b) トヨタの車について、どんなイメージを持っていますか。

(c) トヨタ以外の自動車メーカーを1つ選んで、会社のイメージや、車の安全性、耐久性、燃費、値段、デザイン、持っている人のイメージ、その他、自分が興味のあるポイントについて比べてください。どういう点が同じで、どういう点が違いますか。

3 就職・離職に対する考え方

(a) トヨタは長期雇用、終身雇用制度を維持してきた会社の一つですが、あなたは学校を卒業して定年退職するまで、ずっと同じ会社で働きたいですか。それとも転職したいですか。その理由は何ですか。

(b) あなたの家族、親戚や知人の中で、定年退職した人のことを思い出してください。その人たちは退職するまでに、仕事や会社を何回ぐらい変えましたか。

(c) あなたが働く会社を選ぶ時に重視するのは、どのようなポイントですか。
　　（ヒント：給料、場所、会社の大きさ、安定性、将来性、その他）

写真提供：トヨタ自動車（株）

ステージ **1**｜前作業

4 トヨタの世界地域別自動車生産台数

下のグラフを見て答えなさい。（トヨタのホームページに掲載されたデータをもとに作成）

トヨタの世界地域別の自動車生産台数

(a) トヨタは世界のどの地域で積極的に生産していますか。

(b) 生産台数が増え続けている地域はどこですか。その地域で増え続けているのはどうしてだと思いますか。

(c) 多くの地域で生産台数が減ったのは何年ですか。その年に減っているのはどうしてだと思いますか。

(d) (a) (b) (c) の他に、グラフからどんなことが分かりますか。

5 トヨタの世界地域別自動車販売台数

下のグラフを見て答えなさい。(トヨタのホームページに掲載されたデータをもとに作成)

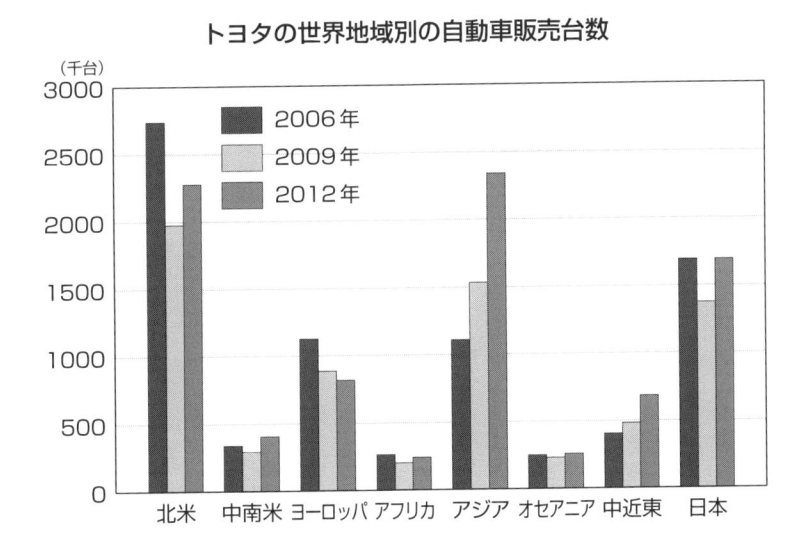

トヨタの世界地域別の自動車販売台数

(千台)　凡例：2006年、2009年、2012年
地域：北米、中南米、ヨーロッパ、アフリカ、アジア、オセアニア、中近東、日本

(a) トヨタは世界のどの地域で積極的に販売していますか。

(b) グラフからどんなことが分かりますか。

(c) **4** のグラフと比べて、どんなことが分かりますか。

ステージ 2 読み物

トヨタのモノづくりと人づくり
──その理念とグローバル展開

1 ① トヨタは日本最大の自動車メーカーで、日本最大の企業だ。2008年には自動車の販売台数が初めて世界一になった。また、2012年と2013年も2年続けて販売台数世界一を達成している。トヨタの成功の要因はいろいろと分析されているが、その中でも特に注目を集めたのはトヨタの生産方式で、これは工場における生産性の高いシステムとして高く評価
5 されている。しかし、トヨタの生産方式はただ単に効率的なシステムであるだけではなく、社員の考え方や行動様式そのものだと考えられている。

② トヨタの生産方式の基本的な考えは、無駄を徹底的になくすことだ。その具体例として「ジャスト・イン・タイム」が挙げられる。これは、1台の自動車を流れ作業で作る際、必要な部品が、必要な時に、必要な量だけ、生産ラインに行くシステムだ。自動車は3万
10 点もの部品からできているので、効率のよい部品の調達が非常に重要になる。それまでの生産工程は「前工程が後工程にものを供給する」という考えに基づいていたが、この場合、前工程で問題が生じれば後工程に影響し、その結果、生産ラインを止めたり、生産計画を変更したりすることになる。そのような無駄をなくすため、トヨタは生産の流れを、後工程のほうが必要なものを必要な時に必要な分だけ前工程に取りに行く、というシステムに
15 変えた。これなら、前工程は後工程に取られた分だけ作ればよいため、生産量がコントロールしやすくなり、生産の無駄がなくなる。

③ トヨタの生産方式のもう一つの基本的な考えは「自働化」だ。「自動化」ではなく人の意味の人偏がついた「自働化」で、機械に人の知恵を持たせるという意味だ。トヨタではほとんどの機械にセンサーがついており、調子がおかしいという知らせをセンサーから受
20 けた場合にはすぐに機械を止め、不良品を作らないようにしている。また、機械を使わない作業ラインでも、問題が発生したら作業員がひもスイッチを引いてラインを止めることができる。通常の生産現場が、「生産量を上げるためにはラインを止めてはいけない」と考えるのに対し、「無駄な不良品を作らないために、必要があればラインを止めなければいけない」という意識で生産されているのだ。さらに、問題が起きた時にそれを解決する
25 だけにとどまらず、二度と同じ異常が起こらないように原因を追求し、対策を立てている。

④　この問題の解決、ならびに対策の徹底化は、トヨタの「改善」という理念と結びついている。トヨタでは問題が起きた時こそ、改善のチャンスだと考える。生産効率を上げるために作業は標準化されており、作業員はそれを実行するように訓練されるが、やりにくいところがあればどうしたらよくなるかを考え、標準作業を見直していく。その際、社員一人一人が自分で考えることを重視し、社員から出た意見を取り上げる「ボトムアップ」の方法を取り入れている。

⑤　このようなトヨタの理念やそれに基づく生産方式を実行するには、社員がそれをよく理解し行動できなければならない。そのため、トヨタはモノづくりだけではなく人づくりも重視し、人材育成に非常に力を入れている。それは海外においても同様だ。トヨタは海外で自動車を販売するだけではなく、そこで生産を行う「現地生産」を重視しており、2013年12月現在、27の国および地域に生産拠点を持っている。そして、全世界のトヨタ従業員がトヨタの企業理念を理解し、それを実践するための価値観や手法を共有することが大切だと考え、2001年にこれを明文化した「トヨタウェイ2001」を日本語と英語で作成している。

⑥　そこで改めて掲げられた重要な理念が二つある。一つは「知恵と改善」で、常により高い付加価値を求めて考え続けること。もう一つは「人間性尊重」で、お客様や取引先、従業員、株主、そして地域やグローバル社会など、トヨタの企業活動にかかわるすべての人々や社会を大切にし、従業員の成長を会社の成果に結びつけることである。そして、この理念を共有するために、人材育成機関である「トヨタインスティテュート」を設立し、グローバルリーダーの育成やトヨタウェイを現場で実践できる管理職の育成など、徹底した人材育成をもとにしたグローバル展開が行われている。

トヨタの工場　（写真提供：共同通信社）

語彙表

#	語	English	中文	한국어
0	理念（りねん）	principle; philosophy	理念	이념
3	分析する（ぶんせき）	to analyze	分析	분석하다
	注目する（ちゅうもく）	to pay attention	注目	주목하다
4	評価する（ひょうか）	to rate; to evaluate	评价	평가하다
5	単に（たんに）	merely	不仅	단순한
	効率的な（こうりつてきな）	efficient	效率的	효율적인
6	行動する（こうどう）	to act; to behave	行动	행동하다
	様式（ようしき）	pattern	方式	양식, 방식
7	基本的な（きほんてきな）	basic	基本的	기본적인
	徹底的に（てっていてきに）	thoroughly	彻底地	철저히
	具体例（ぐたいれい）	concrete example	具体例子	구체적인 예
8	挙げる（あげる）	to give (an example)	举	들다
	流れ作業（ながれさぎょう）	assembly line operation	流水作业	컨베이어 시스템
9	部品（ぶひん）	parts	零部件儿	부품
	量（りょう）	amount; quantity	量	양
10	調達する（ちょうたつ）	to procure	调配	조달하다
11	工程（こうてい）	process	工程	공정
12	生じる（しょうじる）	to occur	发生	생기다
	影響する（えいきょう）	to affect	影响	영향을 미치다
13	変更する（へんこう）	to change	变更	변경하다
	流れ（ながれ）	flow	流程	흐름
18	知恵（ちえ）	wisdom; knowledge	知识和智慧	지혜
19	調子（ちょうし）	condition	状况	상태
20	不良品（ふりょうひん）	defective product	残次品	불량품
21	作業する（さぎょう）	to work; to operate	生产、作业、操作	작업하다
	発生する（はっせい）	to occur	发生	발생하다
22	現場（げんば）	job site; the scene of an actual event	现场	현장
24	解決する（かいけつ）	to solve	解决	해결하다
25	異常（いじょう）	trouble; abnormality	异常	이상
	追求する（ついきゅう）	to pursue	追求	추구하다
	対策（たいさく）	countermeasure	对策	대책
26	改善する（かいぜん）	to improve	改善	개선하다
	結びつく（むすびつく）	to be tied together	有关	결부되다
28	標準化する（ひょうじゅんか）	to standardize	标准化	표준화
	実行する（じっこう）	to perform; to implement	实行	실행하다
	訓練する（くんれん）	to train	训练	훈련하다
29	見直す（みなおす）	to re-examine; to revise	修改	재검토하다
30	重視する（じゅうし）	to emphasize	重视	중시하다
	ボトムアップ	bottom-up	自下而上	보텀 업

32	理解する（りかい）	to understand	理解	이해하다
34	人材育成（じんざいいくせい）	human resource development	人才培养	인재 육성
	同様（どうよう）	likewise	一样	동일한
35	現地生産（げんちせいさん）	local production	现地生产	현지 생산
36	従業員（じゅうぎょういん）	employee	职工	종업원
37	実践する（じっせん）	to put in practice	实践	실천하다
	価値観（かちかん）	values	价值观	가치관
	手法（しゅほう）	method; means	技巧	수법
38	明文化する（めいぶんか）	to state clearly in writing	明文化	명문화하다
	作成する（さくせい）	to create; to compile	写成	작성하다
40	改めて（あらためて）	afresh; again	重新	다시, 새롭게
	掲げる（かかげる）	to promote; to set forth	提出	내세우다
41	付加価値（ふかかち）	added value	附加价值	부가 가치
	尊重する（そんちょう）	to esteem	尊重	존중하다
	取引先（とりひきさき）	business partner; client	客户	거래처
42	株主（かぶぬし）	shareholder	股东	주주
	活動する（かつどう）	to act; to work	活动	활동하다
43	成果（せいか）	accomplishment	成果	성과
44	機関（きかん）	institution	机关	기관

知っておくべきビジネス用語

35	**現地生産**（げんちせいさん）	製品を自国で作って輸出するのではなく、販売する国で生産すること。

ステージ2｜読み物

内容確認

1. 読み物の内容と合っているものに〇、違っているものに×をつけなさい。

① (　　　) トヨタの生産方式は有名で、高く評価されている。

② (　　　) トヨタの生産方式は、システムだけではなく、社員の考え方や行動も含む。

③ (　　　) 「ジャスト・イン・タイム」の利点は、前工程でできたものをすぐに後工程に送ることにより、速くたくさん生産できることだ。

④ (　　　) 「自働化」というのはできるだけ生産ラインを止めないようにすることである。

⑤ (　　　) トヨタの工場では、生産ラインが止まったら、その問題を解決するだけではなく、同じ問題がまた起こらないように対策を立てるようにしている。

⑥ (　　　) トヨタでは管理職の人が改善方法を考え、社員に伝えるトップダウンが効果的に行われている。

⑦ (　　　) 現地生産を重視するトヨタは、海外でも人材育成に力を入れている。

⑧ (　　　) 「トヨタウェイ2001」は、それまでのトヨタの理念を明文化したもので、特に日本のトヨタ従業員のために作成されたものである。

2. 下線部に言葉を入れて、文を完成させなさい。

①トヨタは (a)＿＿＿＿＿＿＿＿＿＿の自動車メーカーで、2008年には自動車の販売台数が (b)＿＿＿＿＿＿＿＿＿＿になった。トヨタの成功の要因はいろいろあるが、特に注目を集めたのはトヨタの (c)＿＿＿＿＿＿だ。これはただ単に (d)＿＿＿＿＿＿＿＿＿＿＿＿＿＿であるだけでなく、社員の (e)＿＿＿＿＿＿＿＿＿＿そのものだと考えられている。

②トヨタにおける生産方式の基本コンセプトの一つは (a)＿＿＿＿＿をなくすことで、「(b)＿＿＿＿＿＿＿＿」はその一例だ。これは必要な (c)＿＿＿＿＿が必要な時に必要な量だけ生産ラインに行くように、(d)＿＿＿工程が、必要なものを (e)＿＿＿工程に取りに行くというシステムだ。

③基本コンセプトの二つ目は「(a)＿＿＿＿＿＿」だ。これは (b)＿＿＿＿＿＿を作らないために、機械の調子がおかしいという知らせをセンサーから受けると、作業員がすぐにラインを止めるシステムだ。そして、その時に問題を (c)＿＿＿＿＿＿＿＿だけではなく、その原因を (d)＿＿＿＿＿＿、対策を (e)＿＿＿＿＿＿＿＿。

④三つ目の基本コンセプトは「改善」だ。これは (a)＿＿＿＿＿＿＿＿＿＿＿＿＿＿＿＿ことを重視し、社員から出た意見を取り上げる (b)＿＿＿＿＿＿＿＿＿の方法で行われている。

⑤トヨタはモノづくりだけではなく、(a)＿＿＿＿＿＿＿＿＿も重視し、(b)＿＿＿＿＿＿＿＿＿に力を入れている。そして全世界のトヨタの (c)＿＿＿＿＿＿＿が企業理念を理解し、価値観や手法を (d)＿＿＿＿＿＿＿＿＿ように、「トヨタウェイ2001」を作成した。

⑥「トヨタウェイ」に改めて掲げられた (a)＿＿＿＿＿＿＿は二つある。一つは「(b)＿＿＿＿＿＿＿＿＿」で、もう一つは「(c)＿＿＿＿＿＿＿＿＿」だ。そして、トヨタインスティテュートを (d)＿＿＿＿＿＿＿するなど、徹底した人材育成を行い、グローバル展開している。

トヨタ・プリウス　（写真提供：トヨタ自動車（株））

文法

1 単に　　just; simply

> しかし、トヨタの生産方式はただ**単に**効率的なシステムであるだけではなく、社員の考え方や行動様式そのものだと考えられている。(１ 5-6)

意味　「だけ」という意味を強める。

文型　
(ⅰ) 単にN｛である／だった／であった｝だけ
(ⅱ) 単にVplain／Adj(i)plainだけ
(ⅲ) 単にAdj(na)stem｛な／である／だった／であった｝だけ

例　
a. <u>単に</u>不況であるだけでなく、政治的に不安定なことも、最近の消費の冷え込みにつながっている気がする。
b. <u>単に</u>他者のまねをするだけなら、誰でもできる。
c. <u>単に</u>失敗する可能性が高いだけであきらめてしまったら、何も始まらない。
d. <u>単に</u>アニメが好きなだけで、オタクと思われるのはいやだ。

2 ～そのもの　　~ itself; ~ themselves; very ~; just like ~

> しかし、トヨタの生産方式はただ単に効率的なシステムであるだけではなく、社員の考え方や行動様式**そのもの**だと考えられている。(１ 5-6)

意味　「N以外ではない」「Adj(na)に含まれる要素をすべて含んでいる」という意味。

文型　
(ⅰ) Nそのもの
(ⅱ) Adj(na)stem そのもの

例　
a. スポーツは人生<u>そのもの</u>だ。失敗から何を学ぶかが大切なのだ。
b. 昨日公開されたA社の人型ロボットは、動きがまるで人間<u>そのもの</u>だ。
c. 田中さんはまじめ<u>そのもの</u>だ。そんなことをするわけがないと思う。

3 ～際　　when; on the occasions of

> これは、１台の自動車を流れ作業で作る**際**、必要な部品が、必要な時に、必要な量だけ、生産ラインに行くシステムだ。(２ 8-9)

意味　時。日常的なことではない、何か特別なことをしたり、そういうことが起こったりした時に使う。

文型　(i) Nの際（に）

(ii) Vplain際（に）

例　a. 弊社創立30周年の際には、多くの方々に記念パーティーにお集まりいただいた。

b. 契約する際には身分証明書とはんこが必要だ。

c. チームのリーダーを引きついだ際にもらった資料が役に立った。

4 ～にとどまらず　<written/formal> doesn't stop with ~; not limited to; going beyond

さらに、問題が起きた時にそれを解決するだけ**にとどまらず**、二度と同じ異常が起こらないように原因を追求し、対策を立てている。（③ 24-25）

意味　～だけではなく

文型　(i) N（だけ）にとどまらず

(ii) Vplain（だけ）にとどまらず

(iii) N/Adj(na)stemであるにとどまらず

(iv) Adj(i)plainだけにとどまらず

例　a. 国内にとどまらずグローバル市場へも進出するべきだ。

b. このローションは肌の調子を整えるだけにとどまらず、シミを予防する効果がある。

c. 私たちは、健康食品のエキスパートであるにとどまらず、お客様に健康的なライフスタイルを提案することを目標にしている。

d. 彼の話はいつも面白いだけにとどまらず、内容が深い。

5 ならびに　<written/formal> and; both ~ and~

この問題の解決、**ならびに**対策の徹底化は、トヨタの「改善」という理念と結びついている。

（④ 26-27）

意味　「N1、ならびにN2」は「N1とN2」という意味のフォーマルな表現。

文型　（2つの時）　N1、ならびにN2

（3つの時）　N1、N2、ならびにN3

例　a. 私たちは、代替エネルギーの研究、ならびに開発を行っています。

b. A社は今月行った組織変更、ならびに人事異動を発表した。

c. B社は食料品の製造、加工、ならびに販売を行う大手の会社である。

ステージ 3 練習

A 語彙練習

語彙練習1 下の言葉の意味を日本語で書きなさい。

① 生じる   (   )
② 変更する   (   )
③ 不良品   (   )
④ 対策   (   )
⑤ 見直す   (   )
⑥ 人材育成   (   )
⑦ 従業員   (   )

語彙練習2 ☐から言葉を選び、適当な形にして＿＿＿に入れなさい。

作成する	実践する	理解する
挙げる	重視する	解決する

① 問題が起こったら、早く＿＿＿＿＿＿＿＿＿ようにしてください。

② この調査によると、女性が結婚相手を選ぶ時に一番＿＿＿＿＿＿＿＿＿のは性格だそうだ。

③ こちらの事情を＿＿＿＿＿＿＿＿＿いただき、ありがとうございます。

④ 彼は例を＿＿＿＿＿＿＿＿＿、分かりやすく説明してくれた。

⑤ 今年度からわが社でも積極的にエコ活動を＿＿＿＿＿＿＿＿＿つもりだ。

⑥ 午後の会議のために必要な書類を＿＿＿＿＿＿＿＿＿ならない。

B 文法練習

文法練習1 【単に】

☐ から適当な表現を選び、「単に～だけで」を使って文を完成させなさい。⑤は自分の文を作りなさい。

```
お金がありません      自社の利益を求めます
お金持ちです          体験者の話を聞きました
```

① _____社会に貢献することを考えない会社は、成功しないと思う。

② この研修のすばらしさは、_____は十分に分からないだろう。

③ _____幸せだとは限らない。

④ _____自分の夢を簡単にあきらめるのはもったいない。

⑤ _____

文法練習2 【～そのもの】

☐ から適当な表現を選んで、文を完成させなさい。⑤は自分の文を作りなさい。

```
不良品そのもの      製品そのもの       過程そのもの
リーダーそのもの    迷惑そのもの       健康そのもの
```

① どんなに難しい状況でもあきらめないで他のメンバーをはげます彼は、_____ _____です。

② 今年90歳になる祖母は_____で、今でも元気に一人で暮らしている。

③ 勝負の結果ではなく一生懸命頑張る_____が重要なのだ。

④ _____は悪くないのに、売り上げはあまり伸びていない。

⑤ _____

ステージ3｜練習

文法練習3 【〜際】

例のように「〜際」を使って、2つの文を1つにしなさい。④は自分の文を作りなさい。

例）休暇をとります／前もって上司に許可をもらってください
　　→　休暇をとる際、前もって上司に許可をもらってください。

① 課長が転勤をなさいます／皆で送別会を開きました

　　→ _____

② ご旅行／どうぞ当店の旅行保険パックをご利用ください

　　→ _____

③ 奨学金を申し込みます／3人の教授に推薦状を書いていただかなければなりません

　　→ _____
　　_____

④ _____
　　_____

文法練習4 【〜にとどまらず】

例のように「〜にとどまらず」か「〜だけにとどまらず」を使って、2つの文を1つにしなさい。⑤は自分の文を作りなさい。

例）そのうわさは同じセクション内で広がっている／他のセクションにまで広がっていった
　　→　そのうわさは同じセクション内だけにとどまらず、他のセクションにまで広がっていった。

① 彼は多くの歌の作詞・作曲をする／自分でも歌を歌う

　　→ _____
　　_____

② A社は日本の大手企業だ／グローバル企業として海外にも進出している

　　→ _____
　　_____

③ この映画は面白い/日本語の勉強にも役に立つと思う

→ _____

_____

④ ノロウイルスの集団感染が、都市部で報告されている/地方でも報告されている

→ _____

_____

⑤ _____

_____

文法練習5 【ならびに】

☐から適当な表現を選んで、文を完成させなさい。⑤は自分の文を作りなさい。

| 短期大学 | 利用 | 大阪支店 | 各委員 | 本社 |
| 管理運営 | 大学院 | 役員 | 平成さくら大学 | |

① 弊社では来年度、_____ならびに_____を移転することになりました。

② _____ならびに_____をご紹介します。

③ _____、_____、ならびに_____の合同卒業式を、ローズホールにて行います。

④ 当市民文化センターの_____ならびに_____に関する規定については、パンフレットをご覧ください。

⑤ _____

_____

ステージ3 | 練習

C 表現練習

表現練習1 読み物「トヨタのモノづくりと人づくり」の各段落はどのような内容ですか。簡単にまとめなさい。

段落1	
段落2	
段落3	
段落4	
段落5	
段落6	

表現練習2 以下の①～③の質問について、┌┈┈┐の言葉を全部使って、読み物を見ないで答えなさい。できるだけ話のまとまりを意識して書きなさい。

① トヨタの「ジャスト・イン・タイム」とはどのようなものですか。

┌┈┈┈┈┈┈┈┈┈┈┈┈┈┈┈┈┐
│ 流れ作業　　部品 │
└┈┈┈┈┈┈┈┈┈┈┈┈┈┈┈┈┘

② トヨタの「自働化」とはどのようなものですか。

┌┈┈┈┈┈┈┈┈┈┈┈┈┈┈┈┈┈┈┈┈┈┈┈┐
│ 機械　知恵（ちえ）　センサー　不良品 │
└┈┈┈┈┈┈┈┈┈┈┈┈┈┈┈┈┈┈┈┈┈┈┈┘

③ 「トヨタウェイ2001」について説明しなさい。

┌┈┈┈┈┈┈┈┈┈┈┈┈┈┈┈┈┈┈┈┈┈┈┈┈┈┈┈┈┈┈┐
│ 企業理念（きぎょう）　価値観（かちかん）　手法　全世界の従業員（じゅうぎょういん）　共有 │
└┈┈┈┈┈┈┈┈┈┈┈┈┈┈┈┈┈┈┈┈┈┈┈┈┈┈┈┈┈┈┘

ユニット●5　トヨタ

ステージ 4 タスク

●タスク1　ジグソータスク

バラバラになった文章を正しく並べて、1つの文章にしなさい。

1. 5人ずつのグループに分かれます。各グループの学生は、b～fの文章を1人1つずつ黙読します。(b～fは巻末p.118～126)
2. 各自、自分が読んだ文章の内容を他のメンバーに説明します（文章をそのまま読まないで、自分の言葉で説明してください）。それからグループで話し合って、下のaの文章に続けてb～fを正しい順番に並べなさい。

順番：　(a) → (　　) → (　　　) → (　　　) → (　　　) → (　　　)

---

a. トヨタは1984年、GMと合弁で、カリフォルニアにヌーミー（New United Motor Manufacturing, Inc. [NUMMI]）という工場を作った。この工場は、特に自動車業界で日米貿易摩擦*が大きな問題になっていた1980年代において、日米両国が協力し共に歩み始める象徴**として意義深いものだったが、2010年、その四半世紀の歴史に幕を下ろした。

　　＊日米貿易摩擦：1980年代、アメリカの大幅な対日貿易赤字が原因で日本たたき（ジャパンバッシング）が起こったことを指す。　＊＊象徴：シンボル

タスク1参考資料：
日経ビジネス2007年2月26日号「苦悩するトヨタ」
片山修『トヨタの方式』（小学館文庫, 1998年）

タスク2 ディスカッション

ペア、あるいはグループで、AとBそれぞれの質問について考えてください。まず、自分の国／市はどうか、次に日本はどうかをあげてください。その後で、自分の国／市と日本の状況の同じ点、違う点を話し合ってください。

A. 車を持つこと・使うこと

(1) 公共交通機関は便利ですか。自動車をよく使いますか。誰が、いつどんな時に自動車を使いますか。

(2) どんな車が人気がありますか。どうしてその車が人気がありますか。その車を買う人はどんな人ですか。

(3) 自動車を持つこと、あるいは使うことはどのように考えられていますか。

	●自分の国／市	○日本
(1)		
(2)		
(3)		

ステージ4｜タスク

B. 就職・離職についての考え方

(1) 学校を卒業して定年退職するまで、同じ会社で働くのが一般的ですか。それとも転職するのが一般的ですか。その理由は何ですか。

(2) 会社を選ぶ時、どのようなポイントが大切だと考えられていますか。

　　（給料、場所、会社の大きさ、安定性、将来性、その他）

	●自分の国	○日本
(1)		
(2)		

● タスク3　問題解決タスク

人づくりを重視する企業では、長期的な視点で人材教育を行いながら、優秀な人材を育成しようとします。しかし、国や地域によっては、転職する社員が多い場合もあります。海外進出する多くの日本企業が、この「離職率の高さ」を課題の一つと考えているようです。

1. 転職や離職について、いろいろな考え方があります。あなたはどう思いますか。

    考え方の例：

    「離職率が高いのは問題だ」
    * 新しい人を採用したり、教育したりするのに、無駄なコストがかかる。
    * 仕事の知識や経験を社員の間で共有しにくいので、生産性が上がらない。

    「離職率が高いことは問題ではない」
    * 新しい人が会社に入ってくる機会が多いほうが、新しい仕事のアイデアが出やすい。
    * 会社に不要な人材まで長期雇用することになったら、コストが無駄だ。

2. あなたは海外展開する日本企業のコンサルタントです。優秀な社員が数年でやめないように、離職率を抑えるための対策を考えてください。

* **ジグソータスク用カード** p.118
カードb／カードc／カードd／カードe／カードf

* **索引** p.127
 さくいん

巻末

● タスク1　ジグソータスク用カードb

※以下は各ユニットの「カードb」です。カードc～fはp.120～126にあります。

ユニット1　タスク1（p. 20）

b. このようにQoo（クー）は最初（さいしょ）日本で開発、販売されましたが、日本での大ヒットの後、現在では東アジアや東南アジアの各地、ヨーロッパではドイツでも販売されています。

ユニット2　タスク1（p. 44）

b. 2004年12月に発売された「ニンテンドーDS」は、そのような岩田（いわた）社長の考えを商品化（か）したものだと言えるでしょう。DSは携帯型（けいたいがた）で画面が2つあり、タッチペンによって誰（だれ）でも簡単に直感（ちょっかん）（intuition）で使えるインターフェースを持ちます。2006年3月、さらに軽（かる）い「ニンテンドーDS Lite」を発売。2年後の2008年3月までに、DSとDS Liteを合わせて日本国内（こくない）で2,200万台以上が売れました。これは約5.7人に1人が持っているという驚（おどろ）くべき数字でした。

ユニット3　タスク1（p. 68）

b. さらに、日本人は質（じゅうし）が高いことを重視することも理由の一つでしょう。日本には、例（たと）えば、「一生もの」という言葉があるように、伝統的（でんとうてき）に「いいものを長く大事に使う」という文化があります。一度買うと長い間使える高品質の製品は、高い買い物をしても長い目で見れば結局得（けっきょくとく）をする*と日本人には考えられ、高級製品が愛（あい）される結果となりました。

　　　　　　　　　　　　　　　　　　　　　　　　*得（とく）をする：利益（りえき）がある

ユニット4　タスク1（p. 90）

b. このような点から、西友がはたしてこの先成功するのかという疑問の声もあった。しかし、赤字が続いた西友はその後、日本独自の戦略を始めた。例えば2012年には、「みなさまのお墨付き*」という新しい食品のプライベートブランドを立ち上げている。これは、商品開発時の大規模な消費者テストで70％以上の人から高評価を得たものだけを商品にするという、質も追求**しながら低価格で食品を提供するブランドである。今後、ウォルマートが自らの戦略をどのようにローカライゼーションしていくかが、日本市場での成功の鍵になると言えるだろう。

*お墨付き：権威のある人の、何かがいい（または、大丈夫だ）という保証
**追求する：努力して手に入れようとする

ユニット5　タスク1（p. 112）

b. また、離職率も大きな問題になったそうだ。ヌーミー工場を始める際、長期雇用や終身雇用制度*を維持してきたトヨタは、労働組合に対して安定した職の供給を約束し、従業員の信頼を得ることができた。しかし、その後の離職率は、時給の従業員で年4％、エンジニアやマネージャーでは10％以上となり、全米の自動車工場の平均より高くなっていた。シリコンバレーに近いので、シリコンバレーの景気がいい時は、新しい仕事に移るために工場をやめる人が特に多くなったということだ。

*終身雇用制度：採用した従業員を定年まで雇うシステム

●タスク1　ジグソータスク用カードc

※以下は各ユニットの「カードc」です。
　カードbはp.118〜119、カードd〜fはp.122〜126にあります。

ユニット1　タスク1（p. 20）

C. もう一つ、Qoo（クー）で面白いのは製品作りのプロセスです。開発には今までとは違う方法がとられました。まず、プロモーションに使うキャラクターや製品コンセプトを作り、その後で製品が開発されたのです。

ユニット2　タスク1（p. 44）

C. その後、脳トレで始まった「ニンテンドーDSを使って楽しく学ぶ」というコンセプトは、さらに進化しました。国語、数学、英語、社会、理科などの学習ソフトが開発され、大人向けには資格試験の勉強や料理のレシピなどのソフトも開発されています。もちろん、DSのソフトには他のゲーム機と同じようにスポーツやアクションのゲームもいろいろありますが、学習ソフトを取り入れたことでゲーム人口が拡大したことが成功のカギになったと言えるでしょう。DSとその後に続くWiiの発売によって、任天堂は再び大きなマーケットを獲得することができたのです。

ユニット3　タスク1（p. 68）

C. 次に、日本の「集団主義*」もブランド品の人気が高い理由の一つだと考えられます。日本人は物に対して「みんなが持っていないからほしい」とか「みんなが持っているからほしい」のように、他人のことを意識する傾向が強いようです。つまり、初めは「みんなが持っていないからほしい」と思う人が新しいブランド品を買い始め、やがてその商品に人気が出てくると、「みんなが持っているから自分もほしい」と思う人が買い始めるので、結局みんなが買うことになるというわけです。

*集団主義：自分よりもグループ全体が大切だとする考え方　cf. 個人主義

ユニット4　タスク1（p. 90）

C. 世界最大規模のスーパーであるウォルマートは、すでに日本以外の各国に進出してきた。しかし、そんなウォルマートでも海外進出は簡単なことではない。例えば、韓国には1996年に進出したが、2006年に撤退している。そのためウォルマートは、日本で海外進出の成功モデルを作り出し、他の地域へ進出するステップにしたいと考えているようだ。

ユニット5　タスク1（p. 112）

C. 翌年の2010年4月1日、ヌーミー工場では最後のトヨタ車が作られ、その幕が閉じられた。しかし、2010年5月になって、電気自動車とその関連製品を開発・販売するテスラモーターズという会社が、ヌーミー工場を買うこと、さらに、トヨタと提携して電気自動車の共同開発を行うことを発表した。GMとトヨタの合弁としては閉鎖されたヌーミー工場は、こうして新しい形で復活することになった。

タスク1　ジグソータスク用カードd

※以下は各ユニットの「カードd」です。
　カードb・cはp.118～121、カードe・fはp.124～126にあります。

ユニット1　タスク1（p.20）

d. このプロセスで生まれたかわいいキャラクターを使ったQoo（クー）のプロモーションはヒットし、Qooは売り上げを伸ばしました。2001年には「Qoo」のマスコットをペットボトルにつけるというキャンペーンを行い、Qooは大ヒット製品となりました。

ユニット2　タスク1（p.44）

d. しかし、ゲームの技術が進化していく一方で、1997年から2003年にかけて、日本では全ソフトの販売数が減少し、ソフト市場は縮小していきました。任天堂の社長、岩田聡氏は、ゲーム離れが起きていることに危機感を覚えました。子供がゲームをやめる年齢が低くなっているのではないか。子供のころはゲームをしても、大人になるとやめる人が多いのはなぜなのか。ゲームの技術が進みすぎた結果、ゲームをする人が一部の熱心なファンだけになったのではないか。そう考えた岩田社長は、普段はゲームをあまりしない大人がゲームをするにはどうしたらいいかを考え、「ゲーム人口の拡大」をコンセプトにゲーム作りを始めました。

ユニット3　タスク1（p.68）

d. このように、高級ブランドが日本市場で成功したことにはいろいろな理由がありますが、企業自体*も日本進出に努力をしたのは言うまでもありません。例えば、ルイ・ヴィトンが1978年に日本支店を設立した時は、「縫い目**が曲がっている」などと質にうるさい日本人にクレームをつけられたそうですが、これらのクレームをていねいに聞き、さらに修理サービスセンターも設立して、質の向上に一層力を入れました。高級ブランドが日本の市場で成功できたのは、日本の消費者が満足するように企業も努力したからです。

　　　　　　　*N自体：Nそのもの，N自身（Nを強調する言い方）　**縫い目：縫ったところ

ユニット4　タスク1（p. 90）

d. けれども、ウォルマートは、予想されたほど日本で成功していない。考えられる理由の一つは、アメリカでは、ウォルマートが同じ商品を他の店より大幅に安く売っている点が評価されているのに対して、日本の消費者は品質に対して厳しく、また「安い＝質が低い」と考える傾向があるため、安さだけでは購買意欲を刺激するのが難しい点だ。

ユニット5　タスク1（p. 112）

d. このように順調なスタートを切ったヌーミー工場だったが、人事管理や人材育成にまったく苦労がなかったわけではない。まず、欠勤率は大きな問題であったと言われている。ヌーミー工場のあるカリフォルニアは気候がいいせいか、週末に3連休を取る従業員が多かった。そのため、月曜日と金曜日の欠勤率が特に高く、月曜日と金曜日に誰をどの作業に配置するのかという問題が起こって、時にはリーダーが作業ラインに入らなければならないこともあったそうだ。

●タスク1　ジグソータスク用カードe

※以下は各ユニットの「カードe」です。
　カードb～dはp.118～123、カードf（ユニット4・5のみ）はp.126にあります。

ユニット1　タスク1（p. 20）

e. 具体的に（specifically）は、まず「親子のコミュニケーションを大切にする」という基本コンセプトを決め、テレビコマーシャルに使うキャラクター作りを始めました。そして、そのキャラクターを出発点にして、製品の名前やパッケージが開発されました。その後で、「おいしい、楽しい、体にいい」を製品ブランドのコンセプトとして、果物など子供が好きな味の製品を開発しました。

ユニット2　タスク1（p. 44）

e. このように誰でも簡単に使えることで大成功を収めたDSですが、この成功は、岩田社長が自ら始めた企画である、「脳トレ」と言われるソフトによるものが大きいと言ってよいでしょう。2004年当時、東北大学の川島教授が書いた『脳を鍛える大人の計算ドリル』という本がベストセラーとなっていました。このことに注目した岩田社長が川島教授に会い、ソフトの共同開発プロジェクトを進めて、2005年4月に「脳トレ」ソフトが発売されました。そして、これをきっかけにDSを買う人たちが中高年のサラリーマンにも広がり、DSの売り上げがさらに伸びたのです。

ユニット3　タスク1（p. 68）

e. 日本が高級ブランド品の大きい市場であることには、いくつかの理由があげられます。まず、日本の若い人たちの生活とそれに伴う消費スタイルです。彼らの多くは社会人になっても親と一緒に住んでいて、家賃や食費などにお金がかからないため、自由に使えるお金を一番多く持っている層だと考えられています。特に20代～30代前半の女性は、「自分へのプレゼント」として高級ブランド製品を買っているようです。

ユニット4　タスク1（p. 90）

e. EDLPという基本(きほん)戦略だけでなく、ウォルマートの得意(とくい)とする「世界最大の小売業になることで、サプライヤーに強い力を持つ」という戦略も生かしにくい。それは、日本の生鮮食料品(せいせん)*は大きな取(と)り引(ひ)きには向かないからだ。例えば、日本の農業(のうぎょう)や漁業(ぎょぎょう)**は家族経営のところが多いため、小さい取り引きのほうがしやすい。また、日本は小さい国だが、地域によって食品の好みが違うので、地域に合わせた品ぞろえをする必要がある。

***生鮮食料品**(せいせん)：野菜(やさい)、魚、肉などの、加工(かこう)されていない食べ物
****漁業**(ぎょぎょう)：魚をとる仕事

ユニット5　タスク1（p. 112）

e. このヌーミー工場は、もとはそれまで閉鎖(へいさ)されていたGMのフリモント工場で、多い時には従業員(じゅうぎょういん)が7千人もいた。しかし、アメリカが不況(ふきょう)の時、GMはこの工場の5千人以上の従業員を解雇(かいこ)し*、1982年以降(いこう)、閉鎖していた。ヌーミー設立の際、トヨタはこの元GMの従業員を採用し、トヨタの理念や生産方式を教育(きょういく)していった。その結果、GM時代に比べて労働(ろうどう)生産性が50％以上も上がったという報告(ほうこく)もある。こうしてヌーミー工場は、トヨタのアメリカ進出の第一歩として成功(せいこう)を収(おさ)めた。

***解雇する**(かいこ)：首(くび)にする、会社を退職(たいしょく)させる

巻末　ジグソータスク用カード

タスク1　ジグソータスク用カードf

※以下はユニット4・5の「カードf」です。カードb〜eはp.118〜125にあります。

ユニット4　タスク1（p.90）

f. また、ウォルマートのEDLPの考え方が日本の買い物の習慣に合わないということも考えられる。日本のスーパーは通常、日によって違う商品の安売りを行う。安売り商品は、普段の価格に比べて特別に安くなっており、それを、家に配達される新聞の間にはさむ「チラシ」と呼ばれる広告を使って消費者に知らせる。日本の消費者は、毎日のチラシでその日何が安いかをチェックし、安売りの品を中心に買い物をする。この消費スタイルは「毎日低価格で商品を提供する」というEDLPとは合わない。

ユニット5　タスク1（p.112）

f. しかし、このように問題を抱えながらも進んできたヌーミー工場に、新たな、そして決定的な問題が起こった。2008年のリーマンショックによって引き起こされた世界的不況により、2009年6月にGMが事実上経営破綻*したのだ。そして、その直後、GMはヌーミー工場の合弁事業からの撤退を発表した。その後、GMとトヨタの間で話し合いが行われたが、撤退するというGMの決定が変わることはなかった。同年8月、トヨタはGMなしで事業を継続する**ことは難しいと考え、ヌーミー工場を閉鎖すると発表した。

*経営破綻する：倒産する　**継続する：続ける

索引 (*「U-」の表示はユニット番号を示す)

あ

あかじ［赤字］	U-4
あきる［飽きる］	U-3
あげる［挙げる］	U-5
あたりまえ［当たり前］	U-1
あっとうてきに［圧倒的に］	U-1
あつりょく［圧力］	U-4
あらためて［改めて］	U-5
あらわれる［現れる］	U-1
あわせる［合わせる］	U-2
いしきする［意識］	U-3
いじょう［異常］	U-5
いたで［痛手］	U-2
いたる［至る］	U-3
いっしょう［一生］	U-3
いっぱんてきに［一般的に］	U-2
いれる	U-1
うきしずみ［浮き沈み］	U-2
うけいれる［受け入れる］	U-2
うごき［動き］	U-2
うりあげ［売り上げ］	U-1
うりあげだか［売上高］	U-3
うわさ	U-4
えいきょうする［影響］	U-5
える［得る］	U-2
おおて［大手］	U-3
おおはばに［大幅に］	U-4
おさえる［抑える］	U-3
おもな［主な］	U-3

か

かいけつする［解決］	U-5
かいすう［回数］	U-3
かいぜんする［改善］	U-5
かいたくする［開拓］	U-3
がいちゅうする［外注］	U-2
かいはつする［開発］	U-1
かかく［価格］	U-2
かかくたい［価格帯］	U-3
かかげる［掲げる］	U-5
かく［各］	U-1
かくだいする［拡大］	U-3
かせぐ［稼ぐ］	U-3
がぞう［画像］	U-2
かちかん［価値観］	U-5
かつどうする［活動］	U-5
かつやくする［活躍］	U-2
かてい［過程］	U-4
かでん［家電］	U-2
かぶ［株］	U-4
かぶしきがいしゃ［株式会社］	U-1
かぶぬし［株主］	U-5
がめん［画面］	U-2
かわこもの［革小物］	U-3
かん［缶］	U-1
かんじる［感じる］	U-3
かんぜん［完全］	U-4
かんりする［管理］	U-1
きかくする［企画］	U-1
きかん［機関］	U-5
きかんてん［旗艦店］	U-3
きぎょう［企業］	U-1
きしゅ［機種］	U-2
きしょうせい［希少性］	U-3
きづく［気づく］	U-1
きぼ［規模］	U-4
きほん［基本］	U-4
きほんてきな［基本的な］	U-5
きょうきゅうする［供給］	U-1
きょうゆうする［共有］	U-4
きょてん［拠点］	U-3
くしする［駆使］	U-3
ぐたいれい［具体例］	U-5
くみたて［組み立て］	U-2

グローバル	U-1	さくげんする［削減］	U-2
くわしい［詳しい］	U-4	さくせいする［作成］	U-5
くんれんする［訓練］	U-5	サプライチェーン	U-3
けいえいする［経営］	U-4	さまざまな［様々な］	U-1
けいさんする［計算］	U-1	さらに	U-1
けいやくする［契約］	U-3	しいれね［仕入れ値］	U-4
ゲームのこうりゃく［ゲームの攻略］	U-2	しげきする［刺激］	U-3
けっか［結果］	U-2	じじつじょう［事実上］	U-4
けっていする［決定］	U-2	しじょう［市場］	U-1
げん［現］	U-1	しせい［姿勢］	U-4
げんえき［原液］	U-1	しつ［質］	U-2
げんざい［現在］	U-1	じっこうする［実行］	U-5
げんち［現地］	U-2	じっさいに［実際に］	U-1
げんちせいさん［現地生産］	U-5	じっせき［実績］	U-2
げんちほうじん［現地法人］	U-2	じっせんする［実践］	U-5
げんば［現場］	U-5	じどうはんばいき［自動販売機］	U-1
こうきゅうかん［高級感］	U-3	しなぎれ［品切れ］	U-4
こうてい［工程］	U-5	しぼる	U-2
こうどうする［行動］	U-5	しほんていけいする［資本提携］	U-4
こうにゅうする［購入］	U-3	しゅう［州］	U-1
こうばいいよく［購買意欲］	U-3	しゅうえき［収益］	U-3
こうはつひん［後発品］	U-1	じゅうぎょういん［従業員］	U-5
ごうべん［合弁］	U-3	じゅうしする［重視］	U-5
こうりぎょう［小売業］	U-4	じゅうようせい［重要性］	U-1
こうりつてきな［効率的な］	U-5	じゅうらいの［従来の］	U-3
こうりゃくする［攻略］	U-2	しゅっしする［出資］	U-4
こうりょする［考慮］	U-2	しゅってんする［出店］	U-3
こきゃく［顧客］	U-2	しゅほう［手法］	U-5
～ごと	U-1	しゅるい［種類］	U-1
このみ［好み］	U-1	しょうがいぶつ［障害物］	U-2
こようする［雇用］	U-4	じょうきょう［状況］	U-4
		じょうけん［条件］	U-2

さ

		しょうじる［生じる］	U-5
ざいこ［在庫］	U-2	しょうひしゃ［消費者］	U-1
ざいさん［財産］	U-1	しょうひん［商品］	U-2
さいだい［最大］	U-3	じょうほう［情報］	U-2
さいようする［採用］	U-3	じょうりゅう［上流］	U-3
さぎょうする［作業］	U-5	じんざいいくせい［人材育成］	U-5

しんしゅつする [進出]	U-2	ちいき [地域]	U-1
しんちょうに [慎重に]	U-4	ちえ [知恵]	U-5
しんらいする [信頼]	U-3	ちゅうもくする [注目]	U-5
すう [数]	U-1	ちょうし [調子]	U-5
すうじ [数字]	U-1	ちょうせんする [挑戦]	U-2
すぐれる [優れる]	U-2	ちょうたつする [調達]	U-5
せいか [成果]	U-5	ついきゅうする [追求]	U-5
せいこうする [成功]	U-1	つうじょう [通常]	U-4
せいぞうする [製造]	U-1	つかいわける [使い分ける]	U-3
せいちょうする [成長]	U-3	つぐ [次ぐ]	U-3
せいひん [製品]	U-1	つねに [常に]	U-2
せいりょういんりょうすい [清涼飲料水]	U-1	つまさき [つま先]	U-3
せっきょくてき [積極的]	U-4	つめる	U-1
ぜったいてき [絶対的]	U-4	ていきょうする [提供]	U-1
せっとくする [説得]	U-1	ていばん [定番]	U-3
せつりつする [設立]	U-3	てき [敵]	U-2
ぜん [全]	U-1	てったいする [撤退]	U-4
せんりゃく [戦略]	U-1	てっていてきに [徹底的に]	U-5
そう [層]	U-3	てんかいする [展開]	U-3
そうごう [総合]	U-2	てんぽ [店舗]	U-3
そうりつする [創立]	U-4	どうこう [動向]	U-2
ぞくぞくと [続々と]	U-3	とうしする [投資]	U-4
そのけっか [その結果]	U-2	とうじ [当時]	U-1
そんざい [存在]	U-2	どうにゅうする [導入]	U-4
そんちょうする [尊重]	U-5	どうよう [同様]	U-5
		どくせんする [独占]	U-3
た		とどうふけん [都道府県]	U-1
た [他]	U-1	とどく [届く]	U-3
だい [第]	U-1	とりあつかい [取り扱い]	U-2
たいけんする [体験]	U-2	とりいれる [取り入れる]	U-4
たいさく [対策]	U-5	とりしまりやく [取締役]	U-4
たいしょう [対象]	U-3	とりひきさき [取引先]	U-5
たがく [多額]	U-2	どりょくする [努力]	U-2
たかまり [高まり]	U-1		
たかめる [高める]	U-3	**な**	
たすけ [助け]	U-1	なかみ [中身]	U-4
たっせいする [達成]	U-1	ながれ [流れ]	U-5
たんに [単に]	U-5	ながれさぎょう [流れ作業]	U-5

にんき [人気]	U-2		ふりょうひん [不良品]	U-5
ねびきする [値引き]	U-4		ぶんせきする [分析]	U-5
のこり [残り]	U-1		ぶんや [分野]	U-3
のばす [伸ばす]	U-1		へいきんする [平均]	U-1
			へんかする [変化]	U-3
は			へんこうする [変更]	U-5
はいけい [背景]	U-2		ほうしき [方式]	U-1
ばいしゅうする [買収]	U-4		ほうじん [法人]	U-1
はいそうする [配送]	U-4		ほうほう [方法]	U-4
はいちする [配置]	U-4		ほかんする [保管]	U-2
はげしい [激しい]	U-2		ポスシステム [POSシステム]	U-4
はけんする [派遣]	U-4		ボトムアップ	U-5
はっせいする [発生]	U-5		ほゆうする [保有]	U-4
はつの [初の]	U-3		ほんしゃ [本社]	U-1
はつばいする [発売]	U-1		ほんたい [本体]	U-2
はっぴょうする [発表]	U-3			
はんだんする [判断]	U-2		**ま**	
はんのう [反応]	U-2		みぢか [身近]	U-3
はんばいする [販売]	U-1		みなおす [見直す]	U-5
ひかくてき [比較的]	U-3		みりょくてきな [魅力的な]	U-2
ひきつぐ [引きつぐ]	U-3		むすびつく [結びつく]	U-5
ひじょうに [非常に]	U-4		むすぶ [結ぶ]	U-3
ひていてきな [否定的な]	U-2		むだ [無駄]	U-4
ひよう [費用]	U-2		めいぶんかする [明文化]	U-5
ひょうかする [評価]	U-5		メーカー	U-1
ひょうじゅんかする [標準化]	U-5		もちかぶ [持ち株]	U-4
ひりつ [比率]	U-4		もとめる [求める]	U-2
びん [瓶]	U-1			
ひんしつ [品質]	U-3		**や**	
ふかかち [付加価値]	U-5		やく [約]	U-1
ふかのう [不可能]	U-4		ゆにゅうする [輸入]	U-3
ふたんする [負担]	U-2		よういん [要因]	U-3
ぶつりゅう [物流]	U-1		ようきゅうする [要求]	U-4
ぶひん [部品]	U-5		ようしき [様式]	U-5
ぶぶん [部分]	U-3		ようひん [用品]	U-4
ふやす [増やす]	U-3		よさん [予算]	U-2
ブランド	U-1		よそくする [予測]	U-2

ら

りえき [利益]	U-2
りかいする [理解]	U-5
りねん [理念]	U-5
りゅうつうする [流通]	U-1
りょう [量]	U-5

れい [例]	U-1
ローカライゼーション	U-1

わ

われわれ [我々]	U-4

監修者略歴

筒井 通雄 (TSUTSUI Michio)

ワシントン大学工学部人間中心設計工学科名誉教授・科学技術日本語プログラム元主任 (Professor emeritus in the Department of Human Centered Design and Engineering/Former director of the Technical Japanese Program, College of Engineering, University of Washington)。イリノイ大学アーバナ・シャンペン校大学院博士課程（言語学）修了。カリフォルニア大学デービス校，マサチューセッツ工科大学，ワシントン大学（シアトル），コロンビア大学夏季修士プログラムなどで教鞭をとる。

　著書に，*A Dictionary of Basic Japanese Grammar, A Dictionary of Intermediate Japanese Grammar, A Dictionary of Advanced Japanese Grammar, Multimedia Exercises for Basic Japanese Grammar*（以上共著，ジャパンタイムズ出版，1986/1995/2008/2018），『初級日本語とびらⅠ』(2021)，『同Ⅱ』(2022)，『上級へのとびら』『きたえよう漢字力』『中級日本語を教える教師の手引き』『これで身につく文法力』（2009－2012）（以上共著，くろしお出版），編著に，『言語教育の新展開』『日本語教育の新しい地平を開く』（以上共編，ひつじ書房，2005/2014），*New Perspectives on Japanese Language Learning, Linguistics, and Culture*（共編，National Foreign Language Resource Center, University of Hawaii, 2013），その他論文多数。

著者略歴

高見 智子 (TAKAMI Tomoko)

ペンシルバニア大学外国語専任上級講師・東アジア言語文明学科日本語プログラム主任 (Senior Lecturer in Foreign Languages/Director of the Japanese Language Program in the Department of East Asian Languages and Civilizations, University of Pennsylvania)。コロンビア大学大学院，及びペンシルバニア大学大学院修士課程修了（教育学）。

　著書・論文に，"Building Connections between Language and Culture Learning: A Hybrid Curriculum Model for More Effective Business Japanese Teaching"（*How Globalizing Professions Deal with National Languages: Studies in Cultural Studies and Cooperation*, M. Gueldry編，The Edwin Mellen Press, 2010），"Infusing the National Standards into Business Language Curriculum"（Global Business Languages 15, Purdue University CIBER, 2010），編著に，『未来を創ることばの教育をめざして：内容重視の批判的言語教育（Critical Content-Based Instruction）の理論と実践』（共編，ココ出版，2015）などがある。

中級から伸ばす
ビジネスケースで学ぶ日本語

Powering Up Your Japanese through Case Studies:
Intermediate and Advanced Japanese

高見智子 [著]
Tomoko Takami

筒井通雄 [監修]
Michio Tsutsui

［別冊］

解答 ……1
本書をお使いになる先生方へ ……13

the japan times
PUBLISHING

解答・解答例

ユニット●1 日本コカ・コーラ

ステージ1 (p. 2)

1. （略）
2. （略）
3. (a) ヨーロッパ、北米、日本　(b)〔解答例〕コカ・コーラ社製品は世界のいろいろな地域で販売されている。／1989年から2009年の間に、どの地域でもコカ・コーラ社製品の消費量が増えている。／グラフのどの年も、北米が一番コカ・コーラ社製品を消費している。／日本は一つの国でヨーロッパと同じくらい消費している。
4. (a) 嗜好飲料—38%　(b) 乳性飲料—23%　(c) 11%　(d)〔解答例〕水（ボトルウォーター）、栄養ドリンク　(e)（略）
5. （略）

ステージ2｜内容確認 (p. 10)

1. ①×　②○　③×　④○　⑤×　⑥×　⑦○　⑧○
2. ① (a) 米国本社　(b) 開発　(c) 販売
② (a) 製造　(b) 販売　(c) つめ
③ (a) ジョージア　(b) 10　(c) 第1位
④ (a) 理由　(b) 種類　(c) 好みに合う
   (d) 自動販売機　(e) 約2万台

ステージ3

語彙練習1 (p. 13)

① d　② a　③ e　④ c　⑤ f　⑥ b

語彙練習2〔解答例〕(p. 13)

①［企業］会社　②［当たり前］当然のこと，普通のことと思うこと　③［成功する］物事がうまくいく　④［説得する］相手が賛成しないことについてよく言い聞かせて分からせる

語彙練習3 (p. 13)

①本社　②消費者　③売り上げ　④種類　⑤管理　⑥残り　⑦地域　⑧当時

文法練習1 (p. 14)

A. ①大学卒業と同時に3か月の海外旅行をしました。　②小林さんはフルタイムの仕事をしていると同時に、大学院でも勉強している。　③ピッチャーは、ボールをキャッチすると同時に一塁に投げた。　④彼は私にとって大切な親友であると同時に、恋人でもあります。　⑤私のまじめな性格は、長所であると同時に短所でもあります。

B.〔解答例〕①（家に帰ると同時に）地震が起きました。　②（大学入学と同時に）寮に入りました。　③試験が始まると同時に誰かの携帯（電話が鳴りました。）　④彼は野球選手であると同時に（ビジネスマンでもあります。）

文法練習2 (p. 15)

①客の好みに応じて　②必要に応じて　③社員のキャリアの目標に応じた　④地域のニーズに応じた

文法練習3 (p. 15)

①ウェブプログラミングにおいて　②小・中学校における　③人生において　④通信販売における

文法練習4 (p. 16)

A. ①会社が大きくなるとともに、これからもっと他の企業とのコラボレーションが大切になっていくでしょう。　②このプロジェクトを成功させるためには、多くの市民に参加を求めるとともに、企業からの寄付を集める必要がある。③この地域はビジネスの中心地であるとともに、観光スポットとしても人気のある場所です。　④社員とともに成長する企業をめざすという社長のコメントが新聞にのった。

B.〔解答例〕
①仕事の経験が増えるとともに（やりたい仕事も増えてきた。）　②景気が悪くなるとともに（売り上げが下がってきた。）　③（親というものは）子供とともに（成長するものだ。）

文法練習5 (p. 17)

A. ①誤解されるおそれがある　②副作用が強いおそれがある　③発火のおそれがある　④社員の意見が上に伝わらないおそれがある

B. 〔解答例〕①（リーダーである田中部長がやめたら、このプロジェクトは）終わらないおそれがある。　②強い台風が来るおそれがある（ので、飛行機はキャンセルとなった。）　③相手国との交渉が失敗すれば、戦争が始まるおそれがある（というニュースを聞いた。）

表現練習1 〔解答例〕(p. 18)

段落①	（コカ・コーラ本社と各国の法人会社の役割）（※本文にある例を参照）
段落②	（コカ・コーラを売るプロセスと仕事の分担） 米国本社は原液を作り、ボトリング会社がその原液にソーダを入れて、コカ・コーラを製造、販売する。日本市場では、日本コカ・コーラが原液の供給、製品の企画、マーケティング、ブランド管理をする。
段落③	（日本でのローカライゼーション） 日本はローカライゼーションが進んでいて、日本で開発されたブランドがたくさんある。そのうちの一つである缶コーヒーの「ジョージア」は、日本コカ・コーラの製品の中で一番売れている飲み物ブランドだ。
段落④	（ジョージアの紹介と発売当時の話） 「ジョージア」は、米国本社のあるジョージア州から名前がついた。発売されたのは1975年で、その当時は他の缶コーヒーが出始めた頃だった。
段落⑤	（ジョージア発売までとその後） 日本コカ・コーラは缶コーヒーを開発しようとしたが、米国本社は反対したので、これを説得して1975年に発売した。その結果、発売後2年で1億本を売り上げ、1985年には缶コーヒー売り上げ第1位のブランドになった。
段落⑥	（ジョージア成功の二つの理由） ジョージアが1位になった理由は主に二つある。一つは他のメーカーに比べて製品の種類が多いので、様々な消費者の好みに合うことだ。もう一つは自動販売機数が多いことで、売り上げを伸ばす助けになっている。
段落⑦	（ローカライゼーションの成功例であるジョージア） 「ジョージア」は日本で重要なブランドだが、アメリカでは販売されていない。つまり、ジョージアは、日本コカ・コーラによるローカライゼーションの成功例と考えられる。

表現練習2 〔解答例〕(p. 19)

①コカ・コーラシステムとは、米国**本社**が**原液**を作って**ボトリング会社**に販売し、ボトリング会社がその原液を使って、飲み物の**製造、流通、販売**をするというシステムです。

②日本コカ・コーラは**約30**の**ブランド**を販売しています。そのうち、アメリカンブランドやグローバルブランドが**約40%**で、日本で開発されたブランドが**約60%**です。

③米国本社は日本コカ・コーラが缶コーヒーを売り始めることに反対でした。しかし、日本コカ・コーラが開発した「ジョージア」は、**発売2年後**には1億本の売り上げを達成し、10年後には缶コーヒーの**売り上げ第1位**のブランドになりました。

④「ジョージア」が第1位になった理由は、二つあります。一つは**製品の種類**が多いことです。他のメーカーよりも非常に多いので、様々な**消費者**の好みに合います。もう一つは自動販売機の数が多いことで、現在日本に**約98万台**あるそうです。

ステージ4

タスク1 (p. 20)

(a) → c → e → d → b

タスク2／タスク3 （略）

ユニット●2 任天堂

ステージ1 (p. 26)

1. （略）

2. (a)〔解答例〕任天堂の販売はほとんど米大陸、欧州、日本で行われている。／任天堂は主に先進国で販売活動をしている。／日本よりも海外（米と欧州）での販売が圧倒的に多い。
(b)〔解答例〕韓国やロシア

3. （略）

4. (a)【速読チェック】①× ②○ ③× ④○ ⑤○ (b) (c)（略）

ステージ2｜内容確認 (p. 34)

1. ①○ ②× ③○ ④× ⑤○ ⑥○ ⑦×

2. ①3分の1以下 ②(a) おもちゃ (b) 家電 (c) 雑誌 (d) 体験 ③(a) ゲームソフトの開発 (b) スーパーマリオブラザーズ (c) アニメ (d) ハリウッド映画 ④(a) ゲーム産業 (b) 予測 (c) 多額の費用 (d) 利益 (e) 痛手 ⑤(a) 販売実績 (b) 翻訳 (c) 好み (d) 動向 (e) ローカライゼーション

ステージ3

語彙練習1 (p. 38)

①d ②c ③b ④a

語彙練習2〔解答例〕(p. 38)

①［外注］他の会社に仕事を頼む（注文する）こと ②［削減］減らすこと ③［予算］何かのために使う予定のお金 ④［努力］頑張ること ⑤［常に］いつも，どんな時でも ⑥［決定する］決める

語彙練習3 (p. 38)

①存在 ②情報 ③反応 ④利益 ⑤結果 ⑥在庫

文法練習1 (p. 39)

A.〔解答例〕①会社に九時までに来るように注意します。 ②音楽を聞きながら仕事をしないように言います。 ③会社のコンピュータで仕事とは関係ないウェブサイトを見ないように注意します。 ④会議中は携帯電話を切っておくように注意します。

B. （略）

文法練習2〔解答例〕(p. 39)

①健康が何よりも大切な（のは言うまでもありません。） ②ペットが突然死んで彼女が悲しんでいることは言うまでもありません。

文法練習3 (p. 40)

①CO_2の排出量が増えたことにより ②友達に話したり日記に書いたりすることにより ③海外に進出したことにより ④テレビを見ないことによる ⑤〔解答例〕（IT技術が進んだことにより、）幅広い情報をすばやく集めることができるようになった。

文法練習4〔解答例〕(p. 40)

A. ①綿密な調査に基づいた ②お客様の声に基づいて ③東洋医学に基づいた ④ベストセラーの小説に基づいて

B.〔解答例〕①参加予定者の意見に基づいて、（プレゼンテーションの内容を決めましょう。） ②外国語の試験の結果に基づいて、（海外出張をする人が選ばれました。） ③最新のテストデータに基づいた新しい治療法が提案された。

文法練習5 (p. 41)

①多くの人がこのスマートフォンに非常に満足している一方、これを独占供給している携帯電話会社には満足していないようです。 ②彼女は、お金がなくて生活が大変だと言う一方で、無駄なお金をたくさん使っています。 ③サラリーマンの平均年収がここ10年で減った一方で、年収が2,000万円以上の人の数は増えました。 ④〔解答例〕この3月は、西日本が暖かくなった一方で、北日本はまだ寒さが厳しく大雪が降った。

表現練習1 〔解答例〕(p. 42)

段落1（任天堂が開発した「ファミコン」）
任天堂は、カートリッジ型のソフトウェアを使った「ファミコン」を開発し、安くて優れたゲーム機を作ることに成功した。コスト削減の結果、価格は他社の家庭用ゲーム機の3分の1以下にすることができた。

段落2（ファミコンをアメリカで販売した時の戦略）
任天堂は、ファミコンをアメリカで販売する際、家電販売店で売ったり、店の在庫保管費用をNOAが負担する、ゲームユーザーに雑誌を販売する、店に体験コーナーを作り新しい顧客を作る、などの戦略を使った。その結果、ファミコンがいろいろなところで広く販売されるようになった。

段落3（魅力的なソフト開発の重要性）
任天堂は、ファミコンが成功するには人気が高いゲームソフトを作ることが重要だと考え、ソフト開発にも力を入れた。そして、「スーパーマリオブラザーズ」が世界的に大ヒットしたことで、アメリカでもさらにファミコンの売り上げが伸びた。

段落4（ゲーム産業で成功することの厳しさ）
ゲーム産業で人気が出る商品かどうかを予測するのは難しい。特にゲーム開発はたいてい、多額の費用がかかるため、成功すれば大きな利益を得るが、失敗すれば大きな痛手となってしまう。

段落5（海外市場でのローカライゼーション）
海外市場で販売実績を上げるには、現地に合うように翻訳したりパッケージを作ったりするだけではなく、消費者の好みや市場の動向をリサーチし、マーケティングの戦略を決定しなければならない。世界的に有名な任天堂も常に挑戦し続けている。

表現練習2 〔解答例〕(p. 43)

①チップやハードウェアの組み立てを**外注し****コスト削減**をして、他社の**3分の1以下の価格**で市場に出すことに成功したからです。

②店の**在庫保管費用**をNOAが負担して、ファミコンをおもちゃ店ではなく**家電販売店**で売り始めました。また、少ない予算で**ターゲット**をしぼったマーケティングをして、ゲームユーザーにゲームの**雑誌**を販売したり、新しい**顧客**を増やすために店でゲームを**体験**できるコーナーを作りました。

③ファミコンが成功するためには、**人気が高いゲームソフトの開発**が重要だと考え、ソフトの開発に力を入れています。例えば「スーパーマリオブラザーズ」の世界的なヒットは、ファミコンの**売り上げを伸ば**しました。

④**現地の文化**を考慮に入れながら、ゲームや取り扱い説明書をすべて**翻訳**したり、**パッケージ**を作ったりするとともに、消費者の**好み**や市場の**動向**をリサーチして**マーケティング**の戦略を決めたりしています。

ステージ4

タスク1 (p. 44)

タスクの前に A. 拡大、増える、増加　B. 縮小、減る、減少

タスク　(a) → d → b → e → c

タスク2／タスク3（略）

ユニット●3 コーチ

ステージ1 (p. 50)

1. (略)
2. (a)（略） (b)〔解答例〕材料：レザーがよく使われている。　デザイン：ビジネスで使えるフォーマルなもの、ショッピングやデートに出かける時に使える少しカジュアルなものなど、いろいろなデザインがある。　値段：比較的安いものから少し高いものまで幅がある。日本であれば5万円から10万円、米国であれば200ドルから800ドルくらいの価格で売られている。　その他：同じデザインや似たデザインでも、色や大きさのバリエーションが多い。模様がないもの、あるいは模様としてコーチのロゴをバッグ全体に使っているものが多い。
(c)（略）
3.【速読チェック】①× ②○ ③× ④○
4.〔解答例〕(a) 2004年から2012年の間に全体の売り上げは、3倍以上伸びている。／売り上げの地域別の割合はどの年も、北米が1位、日本が2位、残りがその他であるが、その他の割合が伸びている。／2004年から2012年の間に北米と日本の売り上げはほぼ3倍になったが、その他の地域は10倍以上になった。／など
(b) 中国、シンガポール、韓国など

ステージ2｜内容確認 (p. 58)

1. ①○ ②× ③× ④× ⑤× ⑥○
2. ①(a) 高級感 (b) 希少性 (c) 高 (d) 抑えて　②(a) 手の届く (b) 毎月 (c) ファッションアイテム　③(a) 進出しました (b) 独占販売契約 (c) 合弁　④(a) 約25 (b) 4　⑤(a) 中国 (b) 南アジア (c) ヨーロッパ (d) 20％以上 (e) 30％以上

ステージ3

語彙練習1〔解答例〕(p. 62)

①[最大] 一番大きい　②[従来の] これまでの　③[希少性] あまりないこと，めずらしいこと　④[購買欲] 買いたいと思う気持ち　⑤[続々と] 休みなく続けて　⑥[稼ぐ] 仕事をしてお金を得る　⑦[輸入する] 外国のものを買い入れる

語彙練習2 (p. 62)

①対象　②契約　③要因　④開拓　⑤変化

語彙練習3 (p. 62)

①飽きて　②成長する　③採用する　④引きついで　⑤抑える

文法練習1 (p. 63)

①みんなの努力の結果にほかならない。　②特別な気持ちではなくただの挨拶にほかならない。　③目の前のチャンスを逃すことにほかならない。　④犯罪にほかならない。　⑤〔解答例〕（彼が言ったことは）みんながいつも考えていることにほかならない。

文法練習2 (p. 63)

①子供に対して　②社会に対する　③新商品に対する　④新入社員に対して　⑤〔解答例〕税金の新しいシステムに対する（ご意見を聞かせてくださいませんか。）

文法練習3 (p. 64)

A. ①すばらしい伝統を守りつつ、新しいコーディネートの仕方も提案することで、若い人にもっと着物のよさを知ってもらいたい。　②先輩のアドバイスを聞きつつ、自分の答えを見つけていきたいと思う。　③売り上げを伸ばすためには現在のファンを維持しつつ、新しいファンを作らなければならない。

B.〔解答例〕①（健康的にやせるには、食べる量を減らしつつ、）運動もしたほうがいい。　②（将来の仕事は、周りの人の意見を聞きつつ、）自分で選ぶつもりだ。　③（退院したばかりなので、しばらくの間は体調を見つつ、）ゆっくりと毎日をすごそうと思う。

文法練習4 (p. 64)

A. ①2年続けて会社の売り上げが落ちた　②役員になった　③リーダーになるのに年は関係ない　④うそをついた

B.〔解答例〕①もし田中さんが来なかったら、（予定を変更しなければいけないことになる。） ②ここで謝れば、（自分が悪いと認めることになる。） ③（彼が考えを変えなければ、）このプロジェクトが終わる（ことになってしまうだろう。） ④（次の試験に受からなければ、）彼は大学をやめなければいけないことになる。

文法練習5〔解答例〕(p. 65)
①人文学部をはじめ、工学部や商学部などがあります。 ②コカ・コーラをはじめ、スプライトやコーヒーなどです。 ③米をはじめ、大豆やとうもろこしが作られています。

表現練習1〔解答例〕(p. 66)

段落1（コーチ成功の要因）
コーチの成功は、アクセシブル・ラグジュアリーという新しい市場の開拓とその分野での世界進出が要因だ。従来の高級ブランドビジネスは「高級感」と「希少性」が重要だと考えていた。

段落2（コーチの戦略の説明）
コーチは、高級品を手の届く価格で売ることと、新しいデザインを毎月発表することで、消費者がブランドバッグに対して持つ考えを「ファッションアイテム」に変え、消費者の購入回数を増やすことで、売り上げを伸ばしたと考えられる。

段落3（コーチの最近の変化）
最近ではアクセサリーだけでなく、靴や洋服なども販売し、ライフスタイルブランドになっている。2013年に新しいディレクターを採用し、ファッション性をさらに高めている。

段落4（コーチが日本に進出したプロセス）
コーチは1988年の日本進出の際、まず三越デパートと独占販売契約をし、三越本店などに出店した。2001年に住友商事と合弁でコーチ・ジャパンを設立、その後、旗艦店も出店し、続々と店舗を増やした。

段落5（コーチが日本市場で急成長した話）
日本はコーチにとってアメリカに次ぐ第二の市場になっている。コーチ・ジャパン設立からの4年間で、コーチは全世界での売り上げを4倍近く伸ばした。また、日本の輸入バッグ・アクセサリー市場で、コーチはシェア第2位のブランドである。

段落6（コーチの海外市場への進出）
コーチは、中国、南アジア、ヨーロッパなどへも販売拠点を拡大して売り上げを伸ばしている。市場シェアは全米で30％、世界市場で15％にまで拡大した。

表現練習2〔解答例〕(p. 67)

①従来の高級ブランドでは、「**高級感**」と「**希少性**」が重要だと考えられていました。そして、高級ブランドの商品を買うことで購入した人が**ステータス**を得られるようにする、また供給を**抑え**て**上流層**に**対象**をしぼって販売するという戦略をとっていました。

②コーチがとった戦略は、高級品を**手の届く**価格にし、新しいデザインを**毎月**発表、発売して、**顧客**の**購買意欲**を刺激するというものです。そして、ブランドバッグに対して女性が持つ意識を「**一生もの**」から「**ファッションアイテム**」に変化させました。

③コーチは最初、**三越デパート**と**独占販売契約**をして日本に進出しました。その後、住友商事と**合弁**でコーチ・ジャパンを設立しました。それから**店舗**数を増やし、**旗艦店**もオープンして、2014年には約**200**店舗になりました。

④日本はコーチにとって、アメリカに次ぐ**第二の市場**となっています。コーチ・ジャパンの設立後、約4年で売り上げを4倍に増やしました。日本国内の**輸入ハンドバッグ・アクセサリー市場のシェア**は第2位です。

ステージ 4

タスク1 (p. 68)
(a) → e → c → b → d

タスク2／タスク3（略）

ユニット●4　ウォルマート

ステージ 1 (p. 72)

1.（略）

2. (a) (b)（略）(c)〔解答例〕品ぞろえ：品ぞろえが豊富である。食料品だけではなく、衣料品、住居用品なども売っている。　価格：安い。またセールやキャンペーンでさらに安くなっている商品もある。　サービス：オンラインショッピングができる。　その他：「みなさまのお墨付き」「きほんのき」「グレートバリュー」など、プライベートブランドがいくつかある。ホームページの食料品のページには、レシピや食品の安全性の情報がある。ウォルマートのクレジットカードがある。　(d)（略）

3.〔解答例〕(a) 米国と地理的に近い、あるいは米国と関係がいい国に進出している。　(b) メキシコが店舗数が圧倒的に多い。／北米・中米への進出が目立つ。／地域ごとに対象国をしぼって進出しているように見える（ヨーロッパはイギリス、南米はブラジル、アジアは日本など）。　(c)（略）

4.【速読チェック】①○　②×　③○　④×

ステージ 2｜内容確認 (p. 80)

1. ①×　②○　③○　④○　⑤○
2. ① (a) 10,773　(b) 最大　② (a) EDLP　(b) 低／安い　③ (a) 物流戦略　(b) 物流センター　(c) 店舗　④ (a) POSシステム　(b) 商品　(c) 店に配送する　⑤ (a) 最大の小売業　(b) 値引き　⑥ (a) 西友　(b) 資本提携　(c) 上げ　⑦ (a) 赤字　(b) しない

ステージ 3

語彙練習1〔解答例〕(p. 84)
①[雇用する] 給料を払って人をやとう　②[通常] だいたいいつも、普段　③[品切れ] 商品が全部売れて、在庫がなくなること　④[値引きする] 値段を下げる　⑤[派遣する] 人を仕事のために送る　⑥[撤退する] 進出していたところから去る、ある分野でのビジネスをやめる

語彙練習2 (p. 84)
①買収して　②経営しながら　③共有する　④保有している　⑤導入する

文法練習1 (p. 85)
A. ①政界での次世代リーダーの養成なくしては　②きちんとした計画なくしては　③人としての魅力なくしては

B.〔解答例〕①（A社との提携なくしては、）将来のわが社の発展はないだろう。　②（目標なくしては、）これから何をすればいいのか分からない。　③（先生の熱心なご指導なくしては、）ここまで日本語が話せるようにはなりませんでした。　④家族のサポートなくしては仕事を続けられないと思う。

文法練習2 (p. 85)
A. ①質の高い商品を提供することで、ブランドの力を落とさない戦略が大切だ。　②自分の弱さに気づき、それを克服することで、人は成長するものだ。　③役員になることで、少しでもみなさんのお手伝いができたらと思う。

B.〔解答例〕①（私は）毎日散歩することで、（リラックスするようにしています。）　②マーケティング戦略を変えたことで、（売り上げが伸びた。）　③新しい職場で働くことで、いろいろな人に会うことができた。

文法練習3 (p. 86)
①日本語が上手になってほしいと思えばこそ　②心配すればこそ　③有名であればこそ　④困難であればこそ　⑤〔解答例〕大きなチャンスであればこそ

文法練習4 (p. 86)

A. ①細かい点はまだ完全ではないものの、企画書の要点はよくまとまっています。 ②上司の仕事を引きついだものの、何をしたらいいのかまだよく分かりません。 ③ここ2～3年、売り上げは横ばいであるものの、来年からは少しずつ上向きになるのではないかと予測されている。

B. 〔解答例〕①広告にたくさんお金を使ったものの、（売り上げは下がってしまった。） ②田中社長が来られなかったものの、（会議は予定通り行われた。） ③（病気がまだ完全には治っていないものの、）ときどき外に出かけられるようになった。 ④A氏はこの会社の社長であるものの、実力はあまりなく、いつも副社長のB氏に助けられている。

文法練習5 〔解答例〕(p. 87)

①（お金はないと困るが、必ずしも）たくさんあれば幸せになれる（とは思わない。） ②（売り上げを伸ばすために宣伝広告は大事だが、必ずしも多額の広告費を）使えば売り上げが伸びる（とは限らない。） ③（上司が言ったことだからといって、必ずしも）正しい（とは限らない。） ④（たしかに消費者は値段をいつも気にしているが、必ずしも）安ければ売れる（というわけではない。）

表現練習1 〔解答例〕(p. 88)

段落①（ウォルマートの紹介）
ウォルマートは1962年にアメリカで創立された世界最大の小売業だ。

段落②（EDLPの説明）
ウォルマートの基本戦略は"EDLP (Everyday Low Price)"――つまり、「毎日低価格で商品を提供する」ということだ。

段落③（コスト削減のための物流戦略）
ウォルマートは低価格で商品を売りながら利益を上げるために、いろいろな方法でコスト削減をしている。その一つが物流戦略で、土地の安い郊外に自社の物流センターを作ったり、POSシステムなどのITを積極的に使った効率のよい在庫管理システムを作ったりして、在庫管理費用を削減している。

段落④（仕入れ値を下げる戦略）
世界最大の小売業であるウォルマートは、サプライヤーに対して大きな力を持っており、これを利用して、仕入れ値を下げることに成功している。

段落⑤（ウォルマートの日本進出）
ウォルマートは2002年にスーパーの西友と資本提携した。その後、少しずつ持ち株比率を上げていき、自社から取締役を送ったり、プライベートブランドの販売を始めたり、EDLPを取り入れたりして、少しずつウォルマート化を進めた。そして、2007年に持ち株を100％とし、西友を完全子会社化した。

段落⑥（ウォルマートの日本での経営状態）
ウォルマートは日本で赤字が続き、進出は必ずしも成功とは言えない。そのため、日本から撤退するのではないかといううわさもあったが、ウォルマートは「撤退はしない」と発表し、経営を強化する姿勢を見せた。

表現練習2 〔解答例〕(p. 89)

①EDLPとは英語の"Everyday Low Price"、つまり、「毎日**低価格**で商品を**提供**する」という意味で、月に一度や週に一度の**バーゲンセール**はしないで、商品を毎日同じ安い価格で提供するという戦略です。

②ウォルマートの物流システムは、**自社**ですべて行うシステムです。土地が安い郊外に自社の**物流センター**を作り、そこから、近くの店舗に商品を配達します。また、商品管理にPOSシステムを使って商品の販売情報をサプライヤーと共有することで、メーカーが効率よく必要な商品を物流センターに**配送**できます。これによって、在庫管理費用を削減し、物流システムの

効率をよくしています。
③ウォルマートは、世界最大の小売業であることで、サプライヤーに対して圧倒的な力を持ちました。その力によって**値引き**を要求し、時にはサプライヤーにとってほとんど**利益**が出ないような値段になるまで、**仕入れ値**を削減することができています。
④ウォルマートは**西友**と**資本提携**をして、持ち株を少しずつ増やしていき、**慎重**に日本進出を始めました。それとともに、**ウォルマート式の販売**を始め、その後100％株を買い、完全に**子会社化**しました。

ステージ4

タスク1 (p. 90)
(a) → c → d → f → e → b
タスク2／タスク3 (略)

ユニット●5　トヨタ

ステージ1 (p. 94)

1. (略)
2. (略)
3. (略)
4. (a) 日本、北米、アジア　(b)〔解答例〕アジアや中南米。ヨーロッパや北米は自動車の成熟市場であるが、アジアや中南米は自動車の使用が増えてきた地域だから。　(c)〔解答例〕2009年。世界的な景気後退や円高があったから。　(d)〔解答例〕トヨタは世界中に進出している。／アフリカやオセアニアでの生産は他の地域に比べて少ない。／日本に次いで生産台数が多いのは、北米やアジアである。／アジアは2009年に北米を抜いて海外で生産台数の一番多い地域になった。／ヨーロッパでの生産が減り続けている。／など
5. (a) 北米、アジア、日本　(b)〔解答例〕アジアの販売台数は大きく増えている。中南米や中近東でも販売が増えている。　(c)〔解答例〕アジアでは、生産台数、販売台数ともに大きく増えている。／中近東では、生産はせず、販売だけしている。／自動車生産台数が販売台数を上回る地域は、日本とアジア（ただし2009年を除く）である。／など

ステージ2｜内容確認 (p. 102)

1. ①○　②○　③×　④×　⑤○　⑥×　⑦○　⑧×

2. ①(a) 日本最大　(b) 初めて世界一　(c) 生産方式　(d) 効率的なシステム　(e) 考え方や行動様式　②(a) 無駄　(b) ジャスト・イン・タイム　(c) 部品　(d) 後　(e) 前　③(a) 自働化　(b) 不良品　(c) 解決する　(d) 追求して　(e) 立てている　④(a) 社員一人一人が自分で考える　(b) ボトムアップ　⑤(a) 人づくり　(b) 人材育成　(c) 従業員　(d) 共有する　⑥(a) 理念　(b) 知恵と改善　(c) 人間性尊重　(d) 設立

ステージ3

語彙練習1〔解答例〕(p. 106)
①[生じる] 起こる，発生する　②[変更する] 変える　③[不良品] 問題がある製品　④[対策] 状況に対応するための方法　⑤[見直す] もう一度よく見たり，読んだり，考えたりする　⑥[人材育成] 仕事ができるように人を訓練すること，人を育てること　⑦[従業員] その会社で働く人

語彙練習2 (p. 106)
①解決する　②重視する　③理解して　④挙げて　⑤実践する　⑥作成しなければ

文法練習1 (p. 107)
①単に自社の利益を求めるだけで　②単に体験者の話を聞いただけで　③単にお金持ちであるだけで　④単にお金がないだけで　⑤〔解答例〕私の弟はいつも単に文句を言うだけで、自分では何もしない。

文法練習 2 (p. 107)
①リーダーそのもの　②健康そのもの　③過程そのもの　④製品そのもの　⑤〔解答例〕この和菓子は、見た目も味も春そのものだ。

文法練習 3 (p. 108)
①課長が転勤をなさる際、皆で送別会を開きました。　②ご旅行の際には、どうぞ当店の旅行保険パックをご利用ください。　③奨学金を申し込む際に、3人の教授に推薦状を書いていただかなければなりません。　④〔解答例〕母が入院した際には、近所の人にいろいろ助けてもらった。

文法練習 4 (p. 108)
①彼は多くの歌の作詞・作曲をする（だけ）にとどまらず、自分でも歌を歌う。　②A社は日本の大手企業であるにとどまらず、グローバル企業として海外にも進出している。　③この映画は面白いだけにとどまらず、日本語の勉強にも役に立つと思う。　④ノロウイルスの集団感染が、都市部（だけ）にとどまらず、地方でも報告されている。　⑤〔解答例〕彼は将来、わが社（だけ）にとどまらず、この業界のリーダーとして活躍してくれるだろう。

文法練習 5 (p. 109) ※①②④は順不同
①本社，大阪支店　②役員，各委員　③平成さくら大学，大学院，短期大学　④管理運営，利用　⑤〔解答例〕私を今まで支えてくれた上司、ならびに同僚の皆様に、改めて感謝を述べたい。

表現練習 1 〔解答例〕(p. 110)

> **段落1**（トヨタの生産方式の紹介）
> トヨタは日本最大の企業で、販売台数で世界一にもなっているが、成功の要因として、その生産方式が高く評価されている。これは効率的なシステムであるだけでなく、社員の考え方や行動様式そのものだと考えられている。

> **段落2**（「ジャスト・イン・タイム」の説明）
> トヨタの生産方式の一つである「ジャスト・イン・タイム」では、自動車を流れ作業で作る際、生産ラインの後工程が、必要なものを必要な時に必要な分だけ前工程に取りに行くことで、生産量がコントロールしやすくなり、生産の無駄がなくなる。

> **段落3**（「自働化」と不良品を作らないシステム）
> トヨタの生産方式のもう一つの基本的な考えは「自働化」で、これは機械に人間の知恵を持たせるということだ。機械についているセンサーから調子がおかしいと知らせを受けると、作業員がすぐに機械を止める。機械を使わない作業ラインでも、問題が起きたら作業員がラインを止めて、不良品を作らないようにしている。そして、問題解決するだけでなく、二度と同じ異常が起きないように対策を立てている。

> **段落4**（「改善」の理念の説明）
> 問題解決と対策の徹底化はトヨタの「改善」という理念と結びついており、トヨタでは問題が起きた時こそ、改善のチャンスだと考える。標準化された作業がよりよくなる方法を社員自身が考えることを重視し、社員から出た意見を取り上げるボトムアップの方法を取り入れている。

> **段落5**（トヨタの人材育成）
> トヨタは人材育成にも力を入れている。現地生産を重視し、多くの国や地域に生産拠点を持っているトヨタは、全世界の社員が企業理念を理解し、価値観や手法を共有できるように、「トヨタウェイ2001」を作成した。

> **段落6**（「トヨタウェイ」の理念）
> 「トヨタウェイ」には改めて、常に高い付加価値を求めて考える「知恵と改善」と、トヨタの企業活動にかかわるすべての人と社会を大切にする「人間性尊重」の、二つの理念が掲げられた。この理念を全社員で共有するため、トヨタは人材育成機関を設立し、徹底した人材育成をもとにグローバル展開をしている。

表現練習2 〔解答例〕（p. 111）

①トヨタの「ジャスト・イン・タイム」とは、自動車を作る**流れ作業**で、必要な**部品**が、必要な時に、必要な量だけ、生産ラインに行くようにしたシステムです。

②トヨタの「自働化」とは、**機械**に人の**知恵**を持たせることです。ほとんどの機械に**センサー**がついていて、機械の調子がおかしいという知らせをセンサーから受けると、作業員がすぐに機械を止め、**不良品**を作らないようにしています。

③「トヨタウェイ2001」というのは、トヨタの**企業理念**、**価値観**や**手法**が明文化されたものです。**全世界**の**従業員**が**共有**できるように、日本語と英語で作成されています。

ステージ4

タスク1（p. 112）

（a）→ e → d → b → f → c

タスク2／タスク3（略）

本書をお使いになる先生方へ

　本書は、ビジネスケースメソッドを用いた、中・上級学習者のための教材です。実在する企業のローカライゼーション、グローバリゼーションをテーマとし、内容と言語の総合的な学習＝「内容重視の言語教育」(Content-Based Instruction; CBI) をしながら、中・上級学習者の日本語の力をさらに伸ばすことをめざしています。

1. 本書の特徴

（1）ケースメソッドによる学習――学習者中心の学びで日本語力を伸ばす

　ケースメソッドとは事例（ケース）を使った学習法のことで、ビジネススクールでよく使われています。この方法は、ディスカッションを通して学ぶことで、分析能力や批判力を養うと同時に、コミュニケーションスキルの向上もねらうものです。本書では、この点に着目し、学習者がディスカッションなどの協業作業に積極的に参加して「意味の交渉」を行い、知的探求をしながら日本語の能力を伸ばすことをめざします。

（2）通常の中～上級クラスで幅広く使える

　本書はビジネスケースを題材とするため、ビジネス日本語コースでの使用はもちろん考えられますが、通常の中・上級のクラスでも十分使うことができます。本書は、名刺の渡し方や交渉・会議の仕方といった、いわゆるビジネス現場での言語スキルを磨く教材ではありません。むしろ重要なことは、自国・他国の文化や社会事情をビジネスの側面から学び、その学習を通じて日本語の能力を伸ばす教材だということです。読み物や話し合いの内容は、ビジネスが専門ではない教師や学習者にとっても、問題なく取り組むことができます。

（3）リアリティのある学習題材――学生の興味と能力を引き出す

　各ユニットでは、誰もが知っているグローバル企業を取り上げました。実在の企業を扱うことで、学習内容が具体的でリアリティのあるものになり、学習者が興味を持ってクラスに参加できます。さらに、最新情報を生教材などで追加していけば、テキストを超えた発展的な学習としてクラスに広がりを持たせることもできます。

（4）段階を追ったタスク活動でプロフィシェンシーの向上をめざす

　本書では、日本語のプロフィシェンシー（運用能力）の向上をめざし、実際に使うことで言語を学びます。特にACTFL-OPIガイドラインを参考に、対象レベルの学習者に必要な力を養うアクティビティやタスクを作成しました。そして各ユニット内では、これらの活動による学習過程が徐々に進んでいくように「足場掛け（Scaffolding）」を行っています。それぞれの活動が単発で終わってしまうのではなく、前に学習した内容、言語学習が関連し合い、発展していく、というスパイラル方式で学習を進めます。

2. 対象レベル

　本書の対象レベルは中・上級です。特にACTFL-OPIガイドラインでいう「中級の中」以上の学生、または日本語能力試験N 3以上の学習者に有効です。

* 語彙表に取り出した新出語彙は、旧日本語能力試験2級レベルを中心にしています。それに加えて1級レベルの語彙、ビジネス用語なども入っています。一度新出語彙として出たものは既習事項として扱い、あとのユニットでは語彙表には取り上げません。
* 旧試験1級レベルや級外の漢字にはルビをふりました。2級レベルの漢字でも、各ユニットの語彙表で未習のものにはルビがつけてあります。
* 本書は、言葉を実際に使う活動を重視しているので、文法項目については、中・上級レベルで確実に身につけてほしいものに絞って取り上げました。

3. 本書の構成

　本書は5ユニット構成で、ユニットごとに1つの企業を取り上げます。各ユニットはそれぞれ独立していますが、言語面・内容面ともに、ユニットが進むに従って難易度が上がっていきます。
　各ユニットは、ビジネスケースの読み物を中心に、4つのステージで構成されています。

●4つのステージ

ステージ1：	前作業	会話・資料の読み取り・速読など
ステージ2：	読み物	読み物・語彙表・知っておくべきビジネス用語・内容確認・文法
ステージ3：	練習	語彙練習・文法練習・表現練習
ステージ4：	タスク	ジグソータスク・ディスカッション・意思決定／問題解決タスク

　4つのステージは、トピックの理解から、言語的側面に焦点をあてた練習へと進み、最終段階としてインターアクションを行うというNunanによる学習フレームワーク（*Task-Based Language Teaching*, 2004）に基づいており、インプットからアウトプットへと、徐々にステップアップしています。各ステージの詳しい内容と進め方は、「5. 各ステージの内容と指導のヒント」（p. 16～19）を参照してください。

4. 授業時間数について

　本書を使った学習期間は、比較的自由に設定できます。主教材として1学期で終えることも、または副教材として1年ぐらいかけて学習することも可能です。学習者のレベルに応じて、あるいはテキストから発展させた活動をどれだけ入れるかによって、最適な時間数を計画してください。
　以下に目安として、著者が実践した中級の中～上クラスでの授業時間数を紹介します。平均すると、1ユニットにつき8～10時間ぐらいを使っています。

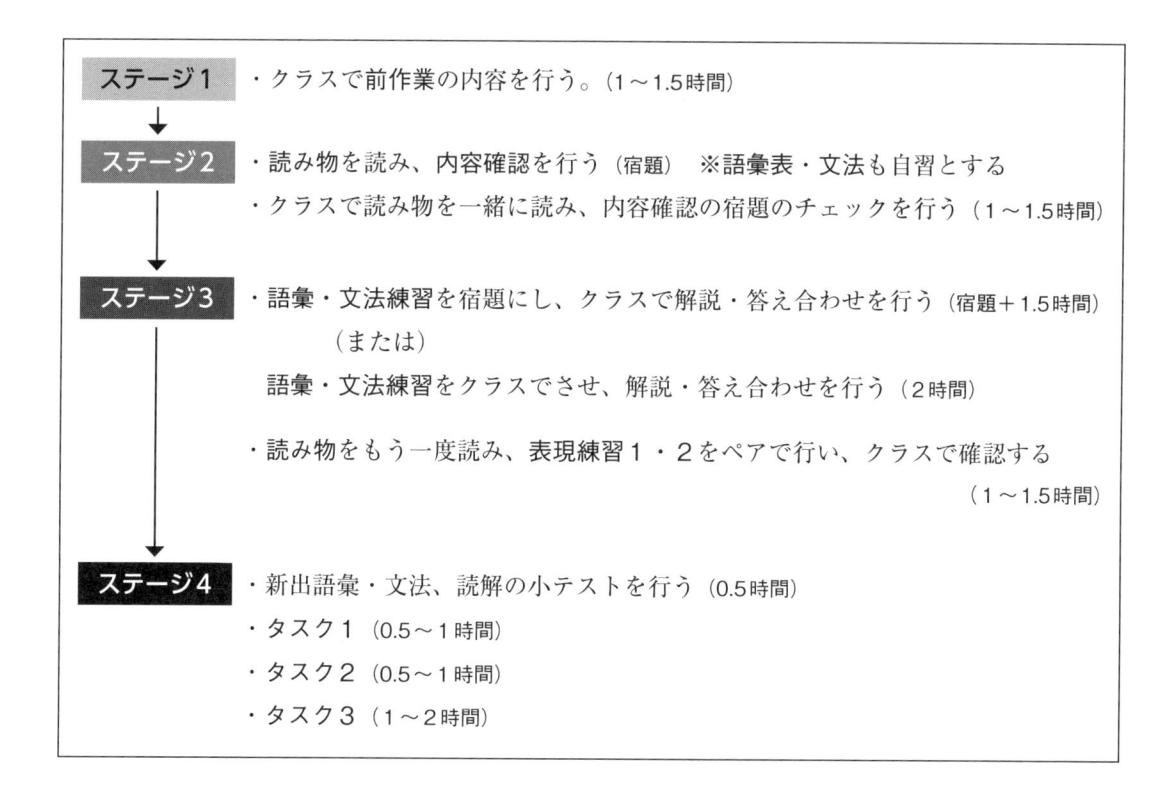

ステージ1	・クラスで前作業の内容を行う。（1～1.5時間）
↓	
ステージ2	・読み物を読み、内容確認を行う（宿題）　※語彙表・文法も自習とする ・クラスで読み物を一緒に読み、内容確認の宿題のチェックを行う（1～1.5時間）
↓	
ステージ3	・語彙・文法練習を宿題にし、クラスで解説・答え合わせを行う（宿題＋1.5時間） 　（または） 　語彙・文法練習をクラスでさせ、解説・答え合わせを行う（2時間） ・読み物をもう一度読み、表現練習1・2をペアで行い、クラスで確認する 　　　　　　　　　　　　　　　　　　　　　　　　　　　　（1～1.5時間）
↓	
ステージ4	・新出語彙・文法、読解の小テストを行う（0.5時間） ・タスク1（0.5～1時間） ・タスク2（0.5～1時間） ・タスク3（1～2時間）

　学習者がクラスでの会話やディスカッションに慣れない段階では授業時間を長めにとってゆっくり進め、話し合いに慣れて積極的になってきたら授業のペースを上げるなど、学習者の様子に応じて進めるのがいいでしょう。また、発展的学習をどれだけ広げるかによっても、時間数にかなり幅を持たせることができます。

● 5. 各ステージの内容と指導のヒント

【各ステージの内容】

ステージ1：前作業 （話し合いましょう）	…… 学習者同士の話し合いを中心に、トピックと自分との関連を考えたり、企業の歴史やデータを知り、読み物へのスキーマビルディングを行う	
（課題の種類）	・会話	…… 内容に関連したトピックで、自分や自国のことについて話し合う。
	・資料の読み取り	…… グラフを中心とした資料を読み取って考える。
	・速読	…… 企業の背景情報をすばやく読み、理解する。

↓

ステージ2：読み物 …… ユニットの中心となるビジネスケースを読み、内容を理解する	
読み物	ユニットの中心となるビジネスケース（約1,400〜1,750字）
■語彙表	英語・中国語・韓国語訳付きの新出語彙リスト（以前のユニットで既習の語彙は含まない）
■知っておくべきビジネス用語	読み物に出てきたビジネス用語や経済用語の説明
■内容確認 …… 読み物の大意が理解できているかどうか確認する	
	問題1 ……… 内容確認の質問に○×で答える 問題2 ……… 読み物の重要部分の要約文の空欄を埋める
■文法（各ユニット5項目）	読み物に含まれている重要文法の意味、用法、使い方の解説

↓

ステージ3：練習 ……… 新出語彙や文法を正確に身につけ、読み物を確実に理解して、ステージ4の発話・表現へとつなげるステップアップの段階	
A. 語彙練習（2〜3問）	新出語彙を中心にした語彙の練習
B. 文法練習（5問）	ステージ2「文法」の各項目の練習。新出文法を使って正しく文を作る。
C. 表現練習 …… 読み物の内容理解と文法・語彙学習をふまえて、自分の言葉で正確に表現する。ステージ4への橋渡しとして重要な練習。	
	問題1 ……… 読み物の各段落の内容を要約する 問題2 ……… 内容に関する質問に対して、与えられたヒントワードを含めながら、自分の言葉で答える

↓

【指導のヒント】

ステージ1 ＜授業時間1～1.5時間＞

＊**会話**：比較的話しやすい内容なので、話すことに自信がない学生にも、自分の考えを伝える大切さを認識させ、楽しめるように進めます。学習者同士が話す機会を十分に作ると効果的です。各ユニットの企業や産業に関する知識があれば話させ、トピックへの興味を高めます。

＊**資料の読み取り／速読**：あまり時間はかけず、ステージ2で読む内容への準備とします。

ステージ2 ＜宿題＋授業時間1～1.5時間＞

＊**読み物**は、このステージではまず宿題にして、大意をつかんでおくようにさせます。次のステージ3で、より深く細かく理解する作業をします。

＊**内容確認**も、読み物と合わせて宿題にします。○×形式と穴埋め形式の内容質問で、スキャニング・スキミングの練習になります。答え合わせは授業数などに応じて、クラスで行ってもいいし、教師が採点して間違いの多かった部分をクラスで補足説明するなどでもいいでしょう。

＊**宿題**では、「語彙表」や「文法」を参照してもよい／参照しないというオプションを与えたり、一定の時間内にする、内容確認の際は読み物の本文を見ないなど、学習者のレベルに応じて適切なやり方を決めておくと効果的です。

ステージ3 ＜宿題＋授業時間2.5～3時間＞ または ＜授業時間3～3.5時間＞

＊**練習A・B**は宿題にします。時間があればクラスで一緒に挑戦させてもよいでしょう。

＊追加練習として、「文法」の例文で用法や意味を確認する、ドリル的な練習も含んだ口頭練習を行う、新出語彙や文法を使って短い会話を作る、なども効果的です。

＊練習と同時に、ここで読み物の漢字の読み方や語彙をできるだけ覚えさせておくと、ステージ4の活動がよりスムーズになります。

＊**練習C**に入る前に、あらためて読み物を音読させ、本文が正確に読めているか、細かい内容まで理解できているかを確認します。

- **問題1**：「段落構成に対する意識を高める」（ACTFL-OPI 上級レベル）ことがねらいです。担当クラスでは難しい場合は、段落ごとに区切って読ませるのもいいでしょう。
- **問題2**：これまでのステージの学習をふまえ、ここでは本文を見ずに答えさせます。語彙や文法が正確かどうかを見るために、宿題として答えを書いて提出させ、個別にフィードバックを与えるのも効果的です。

↓

ステージ４：タスク …… 自分の日本語の知識・能力を総動員してインターアクションを行う	
（タスクに入る前に小テストを行う）	
タスク１．ジグソータスク	段落ごとにバラバラになった文章を、グループで話し合いながら元の文章に並べ直す、インフォメーションギャップのタスク（バラバラになった各段落は、巻末 p.118～126 に収録）
タスク２．ディスカッション	与えられたテーマに沿って、自分の言葉で意見を交換する
タスク３．意思決定タスク／問題解決タスク	どの商品をどう販売するかを考える「意思決定タスク」、または企業が直面する問題への対策を考える「問題解決タスク」

ステージ4 ＜授業時間2.5～4.5時間＞

次の段階に進む前に、語彙、文法、漢字の読み、読み物の内容理解などを含んだ小テストなどを行い、ここまでの学習状況を確認し、学生にフィードバックしておきます。ここで習得を十分に確認しておくことで、ステージ4への準備ができたということになります。習ったからといってすぐに会話に使えるわけではありませんが、それでも、一度確認してからタスク活動に入れば、このような準備がない場合に比べ、より活発な話し合いが可能になります。

＊活動に際しては、単に正しい解答を得るだけでなく、自分が持っている日本語の知識や能力をフルに使って自分の言葉で話す、お互いに「意味の交渉（negotiation of meaning）」を積極的に行う、という「学習者同士で学び合う」過程そのものが、コミュニケーション能力の向上に重要だということを、しっかり伝えてください。
＊話し合いの際は、自分の担当部分を見せたり、そのまま声に出して読まないようにします。文章の内容を自分の言葉で伝えることが重要です。

＊話し合いのグループは、例えば違う国の出身の学生同士や、日本に行ったことがある学生とない学生など、経験や興味の違う者同士を組み合わせると効果的です。
＊教師は話し合いを横でチェックしますが、文法、語彙、表現の間違いなどがあってもその場では指摘せず、学生が自分の意見を話すことに集中させます。指導が必要であれば、最後にフィードバックを行います。
＊グループでの話し合いがひと通り終わったら、クラスで結果を報告させながら、全体でディスカッションをします。

＊自分の考えを論理的に提示するように、また、その意見に至ったプロセスを説明するように指導します。
＊このタスクの目的は、簡単に結論を出すことではなく、自分たちでリサーチしたり、いろいろな意見を検討して、考え、話し合うことです。その点を学生に十分説明しておきましょう。

●6. 本書を使ったクラス作りのポイント

　本書を使って効果的なクラスを行うために、教師は「学習者中心のクラス運営」を心がけることが重要です。以下に具体的なポイントを挙げます。

（1）学習者の積極的参加を促す

＊本書を使う学習には、学習者の積極的な参加が不可欠です。語彙や文法を覚えるだけでは、プロフィシェンシーは効果的に伸びません。実際に言語を使うこと、教師とだけでなく学習者同士のインターアクションも非常に重要であることを、クラスの初めに学習者によく説明してください。

＊学習者が活発に活動を行うためには、お互いの意見や個性を尊重し、各自が躊躇せずに自分の意見を言える学習コミュニティ作りが大切です。教師は、学習者同士が良好なチームワークや信頼関係を築けるよう心がけましょう。

＊特に、このような学習スタイルが初めての学習者や自信がない学習者には、意見を発表したことをほめる、興味深く聞くなど、折りに触れて励ますようにします。また、毎回違うペアと組んで雑談させたり、学習者同士の共通点を見つけるゲームをしたりして、クラスメートみんなと仲良くできるような活動を取り入れるなど、日頃から協働作業を行い、その意義や楽しさを学習者が体験できるようにしてください。

＊それぞれの活動の際、その目的は何か、なぜいまこの活動が必要かなど、できるだけ活動の意義を説明しながら進めてください。学習者が自ら行う学習について意識的・主体的に考え、納得することが、積極的な参加につながります。

（2）教師の役割

＊本書を使った学習では、教師が各企業のビジネスの内容についてすべてを知り、講義する必要はありません。教師は、特に内容に関しては知識を「伝達する」という役割ではなく、むしろ「学習者とともに学び合う」というスタンスをとるべきです。学習者の学びを促すファシリテーターであると考えましょう。

＊もちろん、教師自身が普段からインターネットや新聞などで情報を収集しておくことは大切です。特に日々変化していく企業活動について情報を入手しておき、適当な素材があれば授業に取り入れるなど、ダイナミックなクラス展開を心がけてみてください。

（3）学習者のレベルに応じた授業展開

＊この教材が主な対象とする学習者のレベルは、ACTFL-OPI ガイドラインで「中級の中」から「上級の中」に位置する学生たちです。レベルの幅が広い上に、学習背景によっても学習者の日本語力にばらつきがあることも考えられます。クラスでは学習者のレベルや能力に合った適切な授業展開にすることが大切です。

＊中級の学習者は、自分の身の回りのことや興味のあることについてはある程度話せますが、一般的なことを、段落レベルまで達するほどの量で、十分に話せるレベルではありません。これらの学習者に対しては、無理なく進められるよう、ステージ1からステージ4まで、一つずつ順番に、着実に行ってください。

＊上級の学習者に対しては、ステージ１を割愛したり、ステージ３の語彙練習や文法練習は必要なものだけ行うなどとして早めにテキストを進め、その代わりに新たな材料を提供して、発展学習を行うといいでしょう。例えば、新たな生教材を取り入れてユニットの学習内容をふくらませる、テーマを与えてリサーチし発表する、話し合いをディベートの形にし、自分の意見を言うだけでなく、相手を説得したり、決まった意見をサポートするような議論をするタスクを加えるなど、いろいろな方法が考えられます。学習者の興味と能力に応じて、適切に内容・言語ともに学習を発展させ、知的探求をする機会を増やしてください。

（4）日本語の正確さとコミュニケーションのバランス

＊日本語の「正確さ」は大切であり、本書では特にステージ３の語彙・文法練習において、適切に文を作ることを中心にした練習を行います。一方で、ペアワークやディスカッションなどで言語的な間違いを指摘したり指導することは、活動を妨げて逆効果になるので、最低限にとどめます。言葉が間違っているために通じにくい場合に、聞き直したり言い直しを促したりすることはかまいませんが、あくまでも自然なコミュニケーションとして行う程度としてください。

＊間違いを指導したり、正確さ・適切さを補強したい場合は、話し合いが終わった後に補足的に行うほうがいいでしょう。また、話し合ったことをもとに自分の意見を書いて提出させると、同じミスが見られる場合も多いので、その際に個別に指導するといいでしょう。

7. 発展学習のすすめ

本書で扱う内容は実存する企業のある時点における話なので、授業の時点では状況が変わっている可能性があります。学習者自身が最新の情報を調べる活動を入れると効果的です。

例１：生教材を使ったアクティビティ
＊各社について、最近の動向や本書では取り上げなかったトピックについて調べる。
＊各社のホームページの日本版と他国版の相違点を見つける。
＊商品のＣＭや広告を見て分析する。
＊関連した映画、ビデオクリップ、テレビ番組などを見る。

例２：商品を実際に調べる機会を作る
＊［ユニット１：日本コカ・コーラ］実際にスーパーに行ってコカ・コーラ社製品を調べたり、自動販売機が自分の住む地域のどこに何台あるか調べる。
＊［ユニット４：ウォルマート］実際にスーパーに行って、スーパーの独自商品（プライベートブランド）と一般的なメーカー品（ナショナルブランド）を、価格、パッケージ、品質などについて比べてみる。

例３：他の企業についてリサーチする
＊他の企業の海外進出の事例ついて、どのようにローカライゼーションやグローバリゼーションしているか調べる。

中級から伸ばす　ビジネスケースで学ぶ日本語［別冊］
©2014 by Tomoko Takami. All rights reserved.

Printed in Japan